Parfois, il suffit d'une poignée d'hommes
décidés, un peu idéalistes, un peu fous,
et d'un lumineux matin d'été.
Ah ! bien sûr, il faut aussi des armes. Où en trouver ?
Cette nuit du 10 juin 1860, Garibaldi ne ferme pas l'œil

A l'aube, une goélette passe au large des îles Éoliennes, cap sud-sud-ouest, vers la Sicile. Les volcans fumants de Vulcano et de Stromboli, plus au nord, font encore dans le jour naissant concurrence au soleil qui se lève à babord. Officiellement, l'*Emma* transporte des tonneaux de rhum. Mais on a oublié de dire aux douaniers que les tonneaux sont pleins de poudre

et que, dans la cale à double fond, on a serré quatre mille
fusils. Le capitaine contrebandier – un géant jovial,
à la peau bronzée, aux yeux d'un bleu candide,
les cheveux frisés en bataille – dévore l'espace du regard :
il a une révolution à faire, deux articles à écrire,
un roman à bâtir.
Il s'appelle Alexandre Dumas.

Soudain, il hèle le mousse qui somnole à côté de lui,
allongé sur un amas de cordages :
– Hé ! l'amiral, réveille-toi.
Drôle de nom pour un mousse. Drôle de mousse :
petites mains et petits pieds, même pour un jeune
garçon ; une culotte qui moule une jambe bien fine, une
chemise entrouverte découvrant ingénument une épaule
bien blanche pour un marin.

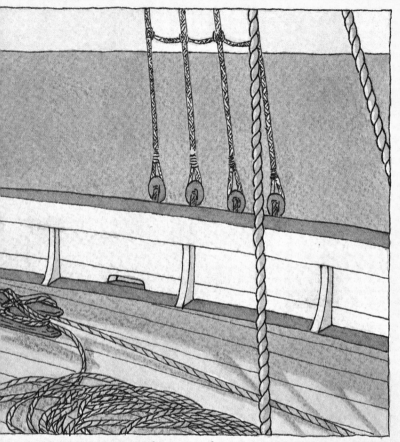

Le mousse ouvre les yeux, frissonne dans l'air aigu du petit matin et rajuste sa tenue. «Il» s'appelle Émilie Cordier. Dumas, en public, lui dit «mon fils».

Mais c'est plus pour jouer que pour tromper le monde.

– Y sommes-nous ? demande-t-elle.

– Bientôt, bientôt. Au-delà de cet horizon de brume, il y a Palerme. Et Giuseppe qui nous attend sur le quai, sois-en sûre.

Giuseppe l'attend, effectivement. Autre géant
— le même œil bleu mais sur une barbe blonde.
Nom de famille : Garibaldi. Profession : révolutionnaire.
Mot d'ordre : *Italia una,* l'Italie une et unie.
D'une pâle constellation de royaumes branlants et de
duchés d'opérette, Garibaldi va faire une nation.
Pour cette expédition en Sicile, il a rassemblé
mille hommes, les a habillés de chemises rouges,

et a occupé Palerme avec eux.

Le soleil se lève. Garibaldi attend Dumas. Il le connaît depuis longtemps, pour avoir dévoré, comme tous les grands petits enfants de sa génération, des romans qui s'appellent *les Trois Mousquetaires, la Reine Margot, le Comte de Monte-Cristo.* Et tant d'autres...

Dumas s'était même offert le luxe — et le culot — d'écrire l'année précédente les *Mémoires* de Garibaldi.

11 juin 1860, six heures du soir. On cherche une
impossible fraîcheur dans les jardins de la villa Bonanno,
à un jet de pierre du Palazzo Reale d'où Garibaldi
dirige les opérations. A l'ombre improbable des
grands palmiers, Dumas, exténué et heureux,
caresse du regard son mousse qui sirote un sorbet

de vanille et de fruits confits macérés dans de la neige
apportée, à grands frais, de l'Etna.
Traversant le jardin, se profile une haute silhouette.
Dumas la suit des yeux et reconnaît, à travers les ombres
chancelantes, la stature du prince di Lampedusa,
qui passe, hautain, narquois. Il sourit.

C'est sans doute par référence aux trois mousquetaires que Christian Biet, Jean-Paul Brighelli et Jean-Luc Rispail se sont associés en une triade inséparable. Si Athos, Porthos et Aramis s'étaient rencontrés à l'hôtel de Monsieur de Tréville, c'est à l'École normale supérieure de Saint-Cloud, dans les années 1970, que le trio s'est constitué. De concours en agrégation, leur amitié s'est renforcée d'une complicité intellectuelle de chaque instant. Depuis 1980, ils se sont lancés dans diverses aventures éditoriales dont cette biographie de Dumas. Pourquoi commencer par Dumas ? Comme ils le disent eux-mêmes : «Parce que c'était lui, parce que c'était nous.»

Responsable de la rédaction
Elizabeth de Farcy
Maquette Elizabeth Cohat
Iconographie Jeanne Hely
Illustration Yan
Nascimbene
Lecture - correction
Dominique Froelich,
Dominique Guillaumin,
Marianne Bonneau

Coordination
Elizabeth de Farcy

*Dépôt légal: octobre 1986
Numéro d'édition: 38979*
ISBN 2-07-053021-3
Imprimé en Italie

Composition Sophotyp,
Paris
Photogravure Fotocrom,
Udine
Impression Editoriale
Libraria, Trieste
Reliure Zanardi, Padoue

ALEXANDRE DUMAS OU LES AVENTURES D'UN ROMANCIER

Biet, Brighelli,
Rispail

à mon bon ami Paul
meurice
A. Dumas

PIERRE PETIT, Phot.

DÉCOUVERTES GALLIMARD
LITTÉRATURE

Le deuxième dimanche du mois de mai 1802, la petite ville de Villers-Cotterêts s'offrait en l'honneur du printemps une fête splendide. S'appuyant au bras d'une amie, une dame bien mise se promène, vaguement inquiète à l'idée qu'elle hasarde dans des groupes turbulents une grossesse presque à terme. Les robes de ce début du XIXe siècle ne marquent pas la taille, mais pour elle c'est dorénavant la taille qui marque la robe. A quel bébé géant va-t-elle donner le jour ?

CHAPITRE I
UN PETIT NÈGRE DE PROVINCE

Villers-Cotterêts est un chef-lieu de canton de l'Aisne, tout près de Soissons. François Ier y signa une ordonnance qui imposait en 1539 l'usage du français, au lieu du latin, dans les cours de justice.

Et toujours, bat autour, la fête. Un colporteur lyonnais est venu ici en portant sur son dos le lourd décor de bois où il anime ses marionnettes : Polichinelle et tout son entourage.

Polichinelle est un mauvais sujet, hâbleur et irrespectueux, vrai fils du peuple, à toujours faire la niche aux curés et aux gendarmes. Il en est bien puni : à la fin, conformément à la tradition, un diable noir, à la langue et à la queue rouges, l'emporte aux Enfers pour rejouer toute une éternité.

Le colporteur a nommé son diable Berlick. La dame enceinte, que l'on appelle la générale Dumas, conformément au titre de son mari, regarde fixement Berlick. Elle qui était sortie dans ce printemps suave pour reprendre des couleurs, pâlit encore davantage.

– Ah ! ma chère, dit-elle à son amie, je suis perdue, je vais accoucher d'un Berlick.

A quelques secondes près, Alexandre repartait dans les limbes. Comme quoi il est aussi difficile de naître que de mourir

Le noir – ou presque – c'est son grand escogriffe de mari, un vrai géant celui-là, dont le père était un petit marquis dévoyé, certes, et la mère une esclave noire de Saint-Domingue. En termes techniques, le papa est métis, et le futur garçon (aucun doute, ce sera un garçon) quarteron. Il y a là de quoi donner des pressentiments néfastes à une bourgeoise sage de ce chef-lieu de canton de l'Aisne, préfecture de Soissons.

Et justement, deux mois plus tard, un 24 juillet à 5 heures du matin, un bébé Dumas naît. A moitié étranglé par son cordon ombilical. Violet. Quasiment noir. Si étranglé que son premier cri fut un grognement diabolique.

– Berlick ! s'écrie la mère désespérée...

On desserre le cordon, le grognement devient vagissement de bon aloi, le noir vire au violet et le violet au rose.

Un mois plus tard, ce Dumas-là est baptisé Alexandre.

De son bref contact avec les puissances des ténèbres, il gardera l'habitude de courir sur la pointe des pieds – tout

En 1802, il est toujours théoriquement interdit de célébrer les fêtes religieuses. Et même de sonner les cloches pour autre chose que le tocsin : la laïcité révolutionnaire veille encore. Mais tout cela n'empêche pas la multiplication des fêtes et des foires.

comme ces satyres qui dans les bois païens courent après les nymphes.

Le 24 juillet 1802 (ou, si l'on préfère parler en termes d'époque, le 5 de Thermidor, an X de la République française), un fils naît donc enfin au général Dumas. Il en est doublement heureux. D'abord parce qu'en dix ans de mariage, il n'a eu que deux filles. C'est assez pour la perpétuation de l'espèce, mais pas pour la perpétuation du nom.

Il faut dire qu'il est rarement là. La Vendée, l'Italie, l'Égypte, et l'Italie encore... Et puis, il sait qu'il va très mal. Dans deux, trois ans tout au plus... Cela lui vient de cette époque où le roi Ferdinand de Naples s'efforçait chaque jour de l'empoisonner... Mais c'est une autre histoire.

Si l'enfant continue à grandir à l'extérieur comme il l'a fait à l'intérieur, il promet d'atteindre une assez belle taille

«Mon cher Brune,

«Je t'annonce avec joie que ma femme est accouchée hier matin d'un gros garçon, qui pèse neuf livres et qui a dix-huit pouces de long. Tu vois que, s'il continue à grandir à l'extérieur comme il a fait à l'intérieur, il promet d'atteindre une assez belle taille.

«Ah ça! tu sauras une chose : c'est que je compte sur toi pour être parrain. Ma fille aînée, qui t'envoie mille tendresses du bout de ses petits doigts noirs, sera ta commère. Viens vite, quoique le nouveau venu en ce monde ne paraisse pas avoir envie d'en sortir de sitôt ; viens vite, car il y a longtemps que je ne t'ai vu, et j'ai une bonne grosse envie de te voir.

Ton ami
Alex. Dumas

«P.S. Je rouvre ma lettre pour te dire que le gaillard vient de pisser par-dessus sa tête. C'est de bon augure, hein !»

Du moins, c'est la lettre que ce fils tant désiré citera cinquante ans plus tard dans ses *Mémoires*. Le texte n'est pas exactement celui de l'original, mais qu'importe ? Le post-scriptum est tout entier de la main du fils, mais baste ! L'essentiel, c'est le bon augure.

De ce père imposant, il faut dès à présent dire qu'il fut un héros. C'était tout simple. Son fils s'en fit un dieu.

Le général Dumas était le fils naturel d'un petit marquis dévoyé, qui, en 1760, s'était installé dans l'île de Saint-Domingue. C'est en 1762 qu'une jeune indigène, Marie-Cessette Dumas, donnait naissance au futur père de l'écrivain. Le nom exact donné à l'enfant, Alexandre Davy-Dumas de la Pailleterie, combine les patronymes paternel et maternel.

Le marquis, qui a perdu son «épouse» en 1772, rentre avec son fils en France en 1780, et meurt en 1786. Le jeune mulâtre, qui dès le début de la Révolution fait une brillante carrière dans les armes, épouse en 1792 Elisabeth Labouret, une petite bourgeoise de Villers-Cotterêts. Ensemble ils auront deux filles, dont l'une mourra fort jeune, et enfin en 1802 un fils prénommé Alexandre comme son père.

C'est tout naturel. Au physique, un colosse de 1,95 m capable, à cheval dans une grange, de saisir à deux mains la poutre maîtresse et de se soulever – lui et son cheval. Capable d'enfiler tous les doigts d'une main dans des canons de fusil et de les brandir ainsi, bras tendu.

Capable aussi, six mois avant sa mort, d'amener son fils chez la sœur, qu'il a aimée sans doute, de ce Bonaparte qu'il n'aime pas. Et tandis que l'enfant ébahi pille une boîte de bonbons, le général prend dans ses bras, comme un enfant, la belle et indolente jeune femme, et la porte jusqu'à la fenêtre pour y voir un cerf aux abois.

Alexandre a trois ans, mais ce sont des choses qui marquent, et dont on se souvient quand, des années plus tard, on peut contempler à Rome cette même Pauline, aux trois quarts dévêtue, sculptée par Canova.

A trois ans, il parle déjà avec les spectres et, à l'occasion, il part à l'assaut du ciel. Jusqu'où ne montera-t-il pas ?

La nuit de sa mort, le général a fait installer son fils chez des amis, pour ne pas affliger un tout jeune enfant d'une agonie si prévisible. A minuit, un grand coup est frappé à la porte du petit garçon. Sa cousine, qui dort près de lui, s'affole. Calmement il se lève :

– Je vais ouvrir à Papa qui vient nous dire adieu.

Depuis quelques instants, dans la maison familiale proche, le général Dumas a cessé de vivre.

Le lendemain, on dit à ce presque bébé que son père est mort. Dans l'affairement général, il monte à l'étage, décroche du mur un fusil appartenant à son père – il faut imaginer ce petit garçon, les bras embarrassés d'une arme lourde et deux fois plus haute que lui. Sa mère sort justement de la chambre mortuaire, elle est tout en larmes :

– Où vas-tu ? demande-t-elle étonnée.

– Je vais au ciel, répond Berlick.

– Comment, tu vas au ciel ?

– Oui, laisse-moi passer.

– Et qu'y vas-tu faire, au ciel, mon pauvre enfant ?

– J'y vais tuer le bon Dieu, qui a tué papa.

La mort du général Dumas a laissé sa famille sans guère de ressources. Bonaparte, qui vient de se faire sacrer Napoléon Iᵉʳ, n'aimait pas ce général républicain. Tandis qu'il installe sa cour dans la soie et les dorures, il n'a pas le

❝ C'est sous le soleil de l'Amérique, avec du sang africain, dans le flanc d'une vierge noire que la nature a pétri celui dont tu devais naître et qui (...) défendit à lui tout seul le pont de Brixen contre une avant-garde de vingt hommes. Rome lui eût décerné les honneurs du triomphe et l'eût nommé consul. La France, plus calme et plus économe, refusa le collège à son fils, et ce fils, élevé en pleine forêt, en plein air, à plein ciel, poussé par le besoin et par son génie, s'abattit un beau jour sur la grande ville et entra dans la littérature comme son père entrait dans l'ennemi (...)**❞**

Alexandre Dumas fils, préface au *Fils naturel*

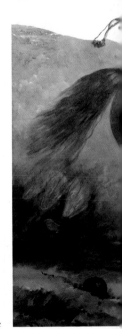

temps de s'occuper des veuves de guerre. D'ailleurs, le général Dumas n'est pas mort *directement* par faits de guerre.

Alexandre, loin des considérations financières qui ne seront jamais son fort, s'éduque comme il peut. Ou plutôt comme il veut. Il lit – la Bible, des récit mythologiques, l'*Histoire naturelle* de Buffon. Et *Robinson Crusoé*. Un peu plus tard, *les Mille et Une Nuits*. Ce qui l'emporte, c'est le merveilleux. De la littérature proprement dite, il ne

sait presque rien. De ce qui s'écrit entre 1805 et 1815, il
ignore tout.

Berlick est peu à peu oublié. Alexandre est grand
pour son âge, il a des yeux saphir, d'une intensité qui serait
gênante s'ils n'étaient empreints d'une naïveté sans
bornes, et de longs cheveux blonds, bouclés, encadrant un
visage d'un blanc rosé éblouissant, au nez droit et fin, aux
lèvres gourmandes, sur des dents mal rangées mais
éclatantes de blancheur. Bel enfant, un peu timide et un
peu garnement.

L'Empire, cependant, s'effiloche. Napoléon rentre de
Russie, exténué, l'ennemi à ses basques. Dernières
batailles : à quelques lieues de Villers-Cotterêts, la ville de
Soissons s'est rendue aux Austro-Russo-Prussiens.

On attend les Cosaques. Pour les amadouer (n'ont-ils
pas en eux de l'animal, en tout cas du Russe ?...), on
prépare un énorme haricot de mouton. Sans doute espère-
t-on conjurer ainsi leurs instincts anthropophages.

Ce mouton-là est rongé par l'armée française en
déroute. On en prépare un autre, en cachant ses biens, puis
en se cachant soi-même dans des carrières abandonnées.

En 1814, les Cosaques campent sur les Champs-Élysées. Les Parisiens les y allèrent voir avec un triple sentiment de soulagement (enfin la paix...), d'effroi (et s'ils ne partaient pas ?) et de curiosité (comment peut-on être cosaque ?).

Le 3 mars 1814, Alexandre, dissimulé dans une grotte, fébrilement étreint par une mère plus anxieuse que lui, entend le grondement de l'armée ennemie qui traverse la ville sans s'arrêter.

Venu trop tard dans un monde trop vieux, comme dira Musset, quelques années plus tard

Il a, au fond, de la chance d'être si jeune. Il aurait l'âge de sa sœur aînée, née en 1793, il aurait été ramassé par la conscription impériale. L'Empire vieillissant fait une grande consommation d'enfants : les «Marie-Louise», recrutés pour les ultimes campagnes, ont seize ans.

Napoléon est enfin à l'île d'Elbe, et Mme Dumas obtient le bureau de tabac qu'elle demandait. Contradictoirement, on la croit bonapartiste, et lorsque l'Empereur revient, pour les Cent-Jours, biffer encore une fois la royauté de France, elle doit se cacher avec son fils, tandis que des bandes de gamins exaltés et peureux bombardent de pierres sa maison en criant «Vive le roi!»

Et puis c'est Waterloo, morne plaine. La déroute de 1814 se fait désastre. Napoléon troque l'île d'Elbe

❝ Le cercle se resserrait autour de la capitale : à chaque instant on apprenait un progrès de l'ennemi. Pêle-mêle entraient, par les barrières, des prisonniers russes et des blessés français traînés dans des charrettes : quelques-uns à demi morts tombaient sous les roues qu'ils ensanglantaient. La nuit, on entendait passer sur les boulevards extérieurs des trains d'artillerie, et l'on ne savait si les détonations lointaines annonçaient la victoire décisive ou la dernière défaite. La guerre vint s'établir enfin aux barrières de Paris. Du haut des tours de Notre-Dame on vit paraître la tête des colonnes russes. ❞
Chateaubriand,
Napoléon

contre Sainte-Hélène.

On prépare un ultime haricot de mouton. On avait
bien amadoué des Cosaques. Mais des Anglais ? Un
officier anglais loge justement chez Mme Dumas. Il tente
de communiquer en latin, langue scolaire classique dans
toute l'Europe. Dumas croit que c'est de l'anglais.

Il a treize ans. Il ne sait rien. Il a en revanche une très
belle écriture, d'un graphisme magnifique, mais ignore le
latin. A l'histoire, il préfère les légendes. Il est nullissime
en mathématiques. Le bagage ne risque pas de
l'encombrer.

Pour l'instant, Alexandre, qui n'a pas fait la guerre, se
consacre à la chasse. Mais sans avoir les revenus qui lui
permettraient d'attendre, en dilettante distant, que le
temps passe.

Sa mère le fait engager comme saute-ruisseau dans
l'étude d'un notaire. Le saute-ruisseau est à une étude de
notaire ce qu'est le mousse au navire de ligne. L'horizon en

> ❝Il était temps que cet
> homme vaste tombât.
> (...) Le sang qui fume, le
> trop-plein des cimetières,
> les mères en larmes, ce
> sont des plaidoyers
> redoutables. Il y a, quand
> la terre souffre d'une
> surcharge, de mystérieux
> gémissements de l'ombre,
> que l'abîme entend.
> Napoléon avait été
> dénoncé dans l'infini, et sa
> chute était décidée.
> Il gênait Dieu.
> Waterloo n'est point une
> bataille ; c'est le
> changement de front de
> l'univers.❞
> Victor Hugo,
> *les Misérables*

moins. Les conditions de travail ne sont cependant pas celles d'un trois-mâts. Pour l'essentiel, Dumas est le coursier du notaire.

Il n'est pas vieux, mais il est grand. Les jeunes filles le trouvent mignon. Il commence à les trouver belles.

Aglaé est lingère : ah, le rose de ses bras serrant des draps si blancs… Elle a vingt ans, quatre ans de plus qu'Alexandre. Il faudra une longue année au futur écrivain pour conclure. Une année de frôlements, de serrements de

L'épopée napoléonienne a occupé vingt ans de la vie des Français de 1795, où Bonaparte est membre du Directoire jusqu'à 1815, la chute à Waterloo.
1799 Bonaparte 1er Consul.
1804 Sacre de Napoléon 1er.
1805-1807 Les victoires (Ulm, Austerlitz, Iéna, Eylau, Friedland…)
1808 Guerre d'Espagne. C'est le début de l'enlisement.
1812-1814 Campagne de Russie : victoire ambiguë à Borodino, retraite de Russie, défaite de Leipzig, campagne de France, départ de Napoléon en exil à l'île d'Elbe.
1815 Les Cent-Jours : Napoléon revient de l'île d'Elbe, renverse Louis XVIII qui s'était installé sur le trône, lève une dernière armée, et échoue à Waterloo face à l'alliance austro-russo-prusso-anglaise. Exil définitif dans la très lointaine île de Sainte-Hélène, où il meurt en 1821.

doigts et de baisers volés. C'est très long.

Il va avoir, il a, une maîtresse... Pour comble de bonheur, il a aussi un ami. Non qu'il en manquât. Mais il a trouvé en Adolphe Ridding de Leuven un autre fils de héros, doublé d'un poète. Alexandre, dont l'instinct – sinon la technique – poétique s'est développé auprès d'Aglaé, va avoir au contact d'Adolphe une idée idiote, digne d'un adolescent exalté : il va se faire auteur.

Cochon qui s'en dédit.

Il vaut toujours mieux détruire ses premiers brouillons : la postérité pourrait en ricaner...

En attendant, Adolphe initie Alexandre aux mystères de la poésie moderne : Lamartine vient justement de publier ses *Méditations.* Toujours entre Paris et Villers-Cotterêts, Adolphe approvisionne son ami en littérature. Ils écrivent, de concert, un vaudeville, *le Major de Strasbourg,* dont heureusement il ne reste rien. Puis un second, dont heureusement... Puis un drame, dont...

Mais la vie passe. Aglaé se marie avec un pâtissier. «Mon premier rêve venait de s'évanouir, ma première illusion venait de s'éteindre», avouera-t-il plus tard.

L'amour déçoit, la littérature se révèle d'une approche moins aisée qu'on l'eût cru. Reste le travail : Mme Dumas, toujours inquiète de l'avenir de son fils, qui ne s'en soucie guère, lui fait obtenir une place de clerc chez un notaire de Crépy-en-Valois, à dix kilomètres de là.

A partir de novembre 1822, Alexandre a, comme collègue de bureau un certain Pierre Hippolyte Paillet, qui va bientôt proposer à Dumas une virée de trois jours à Paris. Mais l'argent ? Qu'à cela ne tienne : Dumas part avec son fusil, et les deux amis braconnent avec entrain, payant les auberges en perdrix et en lièvres. A l'arrivée, l'hôtel des Vieux-Augustins les héberge deux nuits, pour quatre lièvres, douze perdrix et deux cailles.

Courant le lendemain matin rue Pigalle chez Adolphe de Leuven, Dumas, venant du quartier Latin, passe le pont des Arts, contourne le Louvre et tombe sur la Comédie-Française. Dans cette aube grise de novembre, le lieu

Les romantiques ont pour caractéristique commune d'être nés sous l'Empire, mais d'avoir à peine humé le vent de la gloire sans en éprouver le goût. D'où, à la Restauration, un commun sentiment d'ennui et de «mal du siècle».

66 Vers la fin de l'Empire, je fus un lycéen distrait. La guerre était debout dans le lycée, le tambour étouffait à mes oreilles la voix des maîtres, et la voix mystérieuse des livres ne nous parlait qu'un langage froid et pédantesque. Les logarithmes et les tropes n'étaient à nos yeux que des degrés pour monter à l'étoile de la Légion d'honneur, la plus belle étoile des cieux pour les enfants. 99

Alfred de Vigny,
*Servitude et
Grandeur militaires*

magique du théâtre émerge de la brume. A l'entrée, une affiche : «Demain lundi *Sylla*, tragédie en cinq actes, en vers, de M. de Jouy. M. Talma remplira le rôle de Sylla.»

M. de Jouy se prend pour un mauvais Voltaire qui se prendrait pour un mauvais Racine qui tenterait de concurrencer un mauvais Corneille sur son terrain.

Bref, il n'est pas très lisible, mais, en cette période de Restauration, tout ce qui louche sur le passé a un succès obligé.

Où un roi de la scène se fait un masque d'empereur et transforme un jeune homme impressionnable en sujet définitivement conquis

Talma, c'est autre chose : il a, en 1822, presque soixante ans, et quarante ans de théâtre derrière

66 Pendant les guerres de l'Empire, tandis que les maris et les frères étaient en Allemagne, les mères inquiètes avaient mis au monde une génération ardente, pâle, nerveuse. Conçus entre deux batailles, élevés dans les collèges au roulement des tambours, des milliers d'enfants se regardaient entre eux d'un œil sombre, en essayant leurs muscles chétifs. De temps en temps leurs pères ensanglantés apparaissaient, les soulevaient sur leurs poitrines chamarrées d'or, puis les posaient à terre et remontaient à cheval. (...) Cependant l'immortel empereur était un jour sur une colline à regarder sept peuples s'égorger ; comme il ne savait pas encore s'il serait le maître du monde ou seulement de la moitié, Azraël passa sur la route, il l'effleura du bout de l'aile, et le poussa dans l'Océan.

Au bruit de sa chute, les puissances moribondes se redressèrent sur leurs lits de douleur et, avançant leurs pattes crochues, toutes les royales araignées découpèrent l'Europe, et de la pourpre de César se firent un habit d'Arlequin.99

Alfred de Musset, *la Confession d'un enfant du siècle*

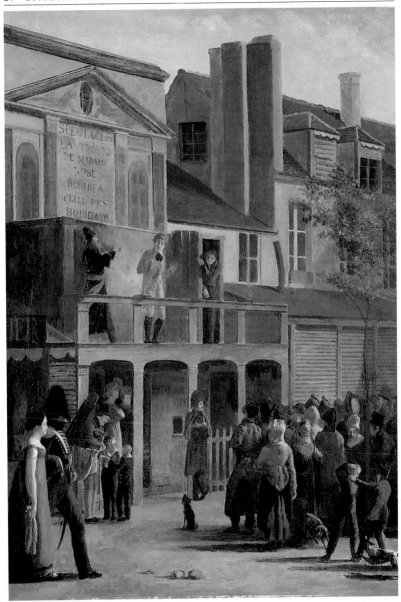

lui. Talma à la Comédie-Française, c'est un monument dans un monument. On l'a supplié de revenir, en 1799, alors que depuis dix ans il jouait en franc-tireur. Il a été le comédien favori de Bonaparte (qui s'y connaissait). Il a survécu à la Restauration, parce qu'il est le meilleur.

Alexandre et Adolphe vont voir la pièce. Peu importe la pièce : elle a du succès parce que, par hasard, l'abdication de Sylla, en 79 avant Jésus-Christ, n'est pas sans rapport avec l'abdication, fraîche encore dans le souvenir, de Napoléon. Au lever de rideau, Alexandre est écrasé de stupeur dans son fauteuil d'orchestre : Talma s'est fait le masque de l'Empereur. Cinq actes comme un rêve...

Adolphe mène dans la loge de Talma un Alexandre un peu gauche, intimidé au-delà des mots. Mais il est tout de même le fils du général Dumas, que l'acteur a connu autrefois.

Talma lui tend la main.

– Touchez-moi le front, dit-il à Talma, cela me portera bonheur.

– Allons, soit ! dit-il. Alexandre Dumas, je te baptise poète au nom de Shakespeare, de Corneille et de Schiller...

A vingt ans, Dumas connaît son ultime rite de passage : sous la bénédiction de Talma, il naît une seconde fois.

A Paris, le théâtre est partout présent, dans les salles comme dans la rue. Sur les boulevards, les parades se succèdent, de midi à minuit. Des acteurs-bonimenteurs ont pour mission d'attirer le public dans les théâtres. Des duos d'acteurs deviennent célèbres, tels ces personnages, Bobèche, le blond vêtu de rouge et Galimafré, le brun vêtu de noir, qui firent rire les badauds pendant plus de seize ans devant le théâtre des Délassements comiques, boulevard du Temple.

Talma (1763-1826) débute à la Comédie-Française en 1787, et connaît une véritable gloire dès 1789, grâce à son talent et à son ardeur révolutionnaire. Élevé en Angleterre, il a une bonne connaissance de Shakespeare, chose rare à l'époque, et se spécialise très vite dans les rôles tragiques et dramatiques. Il met à la mode les expressions de visage, alors ignorées volontairement des comédiens français ; de même, il impose les costumes d'époque (la tragédie se jouait depuis Corneille en costumes contemporains).
Sous l'Empire, admiré de Napoléon, il accède à une gloire sans égale.
Ainsi, sur ce tableau de Delacroix, il est représenté dans son rôle de Néron.

Dumas n'est rentré à Villers-Cotterêts que pour reprendre son élan. A distance, Paris agit sur lui comme le pôle magnétique sur l'aiguille de la boussole. Il commence par se faire renvoyer de son étude de notaire. Désespoir de sa mère. Puis il cherche de l'argent en s'engageant dans une partie de billard ininterrompue : il gagne six cents verres d'absinthe qui, remonnayés, lui rapportent 90 francs. Le prix de douze voyages à Paris. Il n'en demande pas tant : le 29 mars 1823, c'est l'aller simple.

CHAPITRE II
LES ROMANTIQUES AU POUVOIR !

A Paris un jeune homme de 21 ans également, Victor Hugo, commence à faire parler de lui...

Tout commence mal, il fait le tour des amis de son père, en quête d'un protecteur quelconque. Mais ces amis, anciens bonapartistes ralliés à la cause des Bourbons, n'ont guère envie de se rappeler un général républicain.

Le général Foy, seul, s'intéresse à lui :

– Que savez-vous faire, jeune homme ?

– Rien, mon général.

Foy en déduit, non sans habileté, qu'Alexandre en sait dès lors assez pour entrer dans une administration. Le lendemain, il lui a trouvé une place d'employé surnuméraire dans le secrétariat du duc d'Orléans, à 1 200 francs par an. Une misère. Dumas est fou de joie.

Il rentre en coup de vent à Villers embrasser sa mère et faire ses bagages. Au passage, il gagne 150 francs à la loterie. De quoi manger un mois.

Le 5 avril 1823, le lourd coche à chevaux disparaît sur la route de Paris. Sa mère, et aussi une certaine Louise qui avait eu des bontés pour ce grand garçon, essuient leurs larmes avec le mouchoir des au revoir.

Un an plus tard, Dumas est passé à 1 500 francs d'appointements. Son talent : sa belle écriture. Il recopie inlassablement les documents griffonnés par ou pour le duc d'Orléans. C'est assez d'argent pour faire venir sa mère près de lui à Paris.

Deux morts en 1824 marquent l'opinion. Lord Byron, le plus grand poète et le plus grand révolté de son temps, parti en Grèce pour en chasser les Turcs, meurt de fièvre dans les ruines de Missolonghi. Sa mort fait remonter dans les consciences ce beau mot de «romantisme» que Mme de Staël avait emprunté aux Allemands au début du siècle.

Peu après, Louis XVIII agonise dans sa graisse. Charles X a beau lui succéder, ce n'est qu'un vieillard sec qui suit un vieillard moite. Les libéraux, les bonapartistes, les démocrates relèvent la tête et échangent des clins d'œil entendus. On se doute déjà que Louis XVIII est l'ultime monarque à rejoindre les siens dans la basilique de Saint-Denis.

Shakespeare fut la plus grande réhabilitation du romantisme. En 1828, la troupe du Théâtre-Anglais dont le chef de file est le célèbre Kean, héros quelques années plus tard d'une pièce de Dumas, représente à Paris *Othello*. Dès l'année suivante, Vigny en propose une traduction en vers. La représentation est l'occasion de l'un des premiers grands scandales de la scène romantique. Déjà, en 1827, Hugo avait ouvert le feu avec la préface de sa pièce *Cromwell*, réhabilitant d'une même voix Shakespeare et le «grotesque», au grand dam de la rigueur classique.

Trois écrivains se partagent le Panthéon des lectures romantiques : Goethe (1749-1832) a autorisé l'expression du lyrisme personnel ; Walter Scott (1771-1832) impose le roman historique ; mais Byron (1788-1824), ci-dessus, par sa vie frénétique et sa mort héroïque, reste le modèle.

Du côté de la production, les œuvres de chair valent mieux que les œuvres de plume

Le 27 juillet, Dumas découche, et sa mère s'inquiète : voilà son grand dadais de fils papa. A vingt-deux ans. En cette nuit de juillet, un autre Lion (illégitime, mais reconnu un peu plus tard par son père) est né. On l'appelle aussi Alexandre, pour faciliter la tâche des biographes.

Le romantisme en est à ses premières années. Hugo commence à publier. Lamartine continue à s'autoparodier. Dumas lit Shakespeare, Walter.Scott (il va même savoir assez d'anglais pour traduire *Ivanhoé*), et apprend l'allemand pour décrypter Schiller et Goethe dans le texte.

Delacroix, lui aussi, découvre Shakespeare et illustre *Hamlet*.
Le tableau évoque la scène où Hamlet dialogue avec les fossoyeurs qui lui montrent le crâne de Yorick, l'ancien bouffon de la cour.

Un ton en dessous, il s'est remis au vaudeville avec Adolphe : *la Chasse et l'Amour,* un titre presque autobiographique. La pièce est acceptée au théâtre de l'Ambigu, et représentée non sans succès en 1825.

Un ton au-dessus, il continue ses lectures (Fenimore Cooper et ses *Mohicans,* qui lui inspireront plus tard un titre), et admire aux Salons de peinture, de 1824 à 1828, les œuvres de Delacroix, Boulanger, Devéria et Horace Vernet. Ce sont déjà des amis. Et bientôt Hugo, puis les deux frères graveurs, Alfred et Tony Johannot, qui illustreront tout ce que le romantisme connaît d'œuvres. Tout ce beau monde se réunit chez Charles Nodier, le très savant bibliothécaire de l'Arsenal, à qui le romantisme noir doit ses plus beaux fleurons, *Jean Sbogar* (1818) et *Smarra ou les Démons de la nuit* (1821), et *la Fée aux miettes* (1832).

Tout Paris flâne sur les grands boulevards. Tous les âges, toutes les catégories sociales s'y côtoient. Terrain de chasse illimité, c'est le lieu de prédilection de Dumas et de ses amis.

En 1824, Charles Nodier (1780-1844) est nommé bibliothécaire de l'Arsenal. C'est là qu'avec sa femme et sa fille il va accueillir, pour des soirées éminemment littéraires, tout ce que le romantisme en herbe compte de beaux talents : aux «anciens» comme Lamartine se mêlent les petits nouveaux, Hugo, Dumas, Vigny, puis Nerval, Gautier, Balzac, et encore des artistes comme Delacroix, Boulanger, David d'Angers, Devéria ou Tony Johannot, l'auteur des gravures de la page de gauche. Ces habitués des soirées de l'Arsenal forment un groupe à mi-chemin entre les salons du siècle précédent, auquel appartient à moitié leur hôte, et les cénacles à la mode qui vont peu à peu s'imposer.
Nodier lui-même n'en reste pas aux pures fonctions d'amphitryon, mais participe étroitement à la création.

Tout faire pour être à la mode : des journées de quarante-huit heures et la chandelle par les deux bouts...

Tout le jour Dumas travaille dans son bureau, à recopier inlassablement des documents secrets. Jusqu'à dix heures du soir. Puis les soupers à l'Arsenal, après le spectacle. Puis

Laure Labay, la mère de son fils, ou déjà telle ou telle autre. Puis le temps de lire. Et puis c'est l'aube.

Pas le temps de dormir. Il a d'ailleurs la mine ravagée par ces veilles successives. Il est très grand, très maigre (il se rattrapera plus tard). Il se voudrait poitrinaire (la phtisie est à la mode), et ambitionne presque de cracher un peu le sang. Pas tout à fait snob (le terme n'existe pas encore), il est déjà très «chic» (mot qu'ont lancé les «rapins», les artistes peintres amis de Dumas)... Il est de ces dandies qu'on appellera bientôt (comme cela lui va bien !) des «lions», anglicisme à la mode.

Le romantisme avait d'abord frappé en Allemagne, puis en Angleterre : en France, la Révolution et l'Empire s'étaient drapés dans la toge néo-classique de David. Celui-ci meurt en 1825, mais cela fait dix ans qu'exilé par Louis XVIII en Belgique, il a été tué pour son public. D'autres astres montent.

Où l'on trouve successivement des chairs décomposées, des cadavres sciés et un mourant passionné d'agonie

En 1819, premier scandale. Géricault (né en 1791) expose *le Radeau de la Méduse,* immense toile inspirée du naufrage d'une frégate trois ans auparavant. Pour peindre ces corps entassés, à demi décomposés, Géricault aurait gardé chez lui des cadavres volés aux morgues des hôpitaux, pour bien saisir les variations de couleurs...

On prie bien vite l'artiste de remballer sa toile. Géricault la garda chez lui jusqu'à sa mort.

Parmi les multiples maîtresses d'Alexandre Dumas, Laure Labay a un statut spécial : elle est la mère de son fils.

Dumas, jeune, ici dessiné par son ami Achille Devéria. Né à Paris en 1800, ce dernier se rendit surtout célèbre comme illustrateur et lithographe ; il fut également un remarquable portraitiste, et nous laisse de nombreux témoignages d'une époque où la photographie existait peu ou mal. Il mourut à Paris en 1857. Son frère Eugène (1805-1865) fut également un peintre estimé, un peu rapidement classé chef de file de l'école romantique, hésitant entre le style «troubadour», fasciné par le Moyen Âge, et l'orientalisme, seconde tentation esthétique des romantiques.

ALEX. DVMAS.

Dumas va le voir huit jours avant son trépas.
Géricault mourait d'un lent pourrissement des vertèbres.
Dumas arrive, encore tout ébloui des merveilles vues au
Salon de 1824 (*les Massacres de Scio,* de Delacroix,
le *Mazeppa* de Boulanger, tous deux inspirés de Byron,
qui venait de mourir).

Dumas entre avec un ami. Sur tout un mur de
l'atelier, *le Radeau de la Méduse,* avec ses corps verdâtres, ses
entassements de chairs demi-rongées. En face, Géricault,
couché, occupé à dessiner sa main gauche avec sa main
droite.

— Que diable faites-vous donc là ?
— Vous le voyez, je m'utilise. Jamais ma main droite

Mazeppa (1644-1709)
était un chef cosaque,
gouverneur de l'Ukraine,
allié puis adversaire de
Pierre le Grand, au nom de
l'indépendance de sa
patrie. Sa mort, il ne la
doit pas à la politique,
mais à la passion : un mari
jaloux et trompé l'attacha
nu sur un cheval sauvage
qui l'emporta, dit la
légende, jusqu'en Ukraine.
Il inspira Byron, Hugo,
Pouchkine, Liszt,
Tchaïkovski, et Boulanger,
pour ce tableau.

ne trouvera une étude d'anatomie pareille à celle que lui offre ma main gauche, et l'égoïste en profite.

Sa maladie lui avait rongé les chairs. Ce qu'il dessinait, c'était en vérité des os sous de la peau.

«Mes pareils à deux fois ne se font point connaître, et pour leurs coups d'essai veulent des coups de maître»

Au gré de ses lectures échevelées, en 1828, Alexandre est tombé sur la piste de Henri III, roi à la fin du XVIe siècle. Lui qui sera le maître du roman historique commence par le drame historique. Il écrit sa pièce, *Henri III et sa cour,* en deux mois (il fera mieux, ensuite).

Géricault avait un goût certain pour le morbide. À l'époque de *la Méduse,* rencontrant un ami dont le teint cadavérique conservait les traces d'une récente jaunisse, il se serait écrié : «Ah ! mon ami, que vous êtes beau !». Et de le convier instamment à venir poser pour lui.

Elle est «reçue» par la troupe de la Comédie-Française avec acclamations.

Soir de première : les mains moites, l'estomac en boule, la bouche pleine de coton. Il a envoyé des invitations aux amis, Hugo, Vigny, Boulanger... Il s'est composé sa claque de copains. Mais sait-on jamais ? Pour dramatiser les choses, sa mère est gravement malade. Il est arrivé à convaincre son patron, le duc d'Orléans, futur Louis-Philippe, d'assister à la représentation.

Sur les affiches de la Comédie-Française, c'est son nom, son œuvre. La gloire ? En attendant, il a un col de chemise découpé dans un vague carton. La misère, toujours, lui dans une loge obscure, tandis que les diamants du faubourg Saint-Honoré ruissellent au balcon. C'est le 10 février, pourtant il est en nage. Mélanie (il la connaît depuis un an) lui prête un fin mouchoir de batiste délicatement brodé. Entre les pattes du lion, la broderie se fait charpie.

Ce n'est pas un succès, c'est un délire. Le duc d'Orléans se découvre et le salue, lui, l'employé, quand son nom est cité à la fin de la pièce. Déjà la salle entre en effervescence. Ces petits jeunes gens à cheveux longs, au regard embrasé, tiennent en Dumas leur premier héros. Ils se répandent dans l'antichambre du théâtre, hurlant comme des fauves : «Racine, enfoncé ! Enfoncé, Racine !», et tentent de jeter par les fenêtres les bustes des grands Anciens. C'est du délire, c'est une émeute.

«Décadence», fulmine la *Gazette de France,* le lendemain. *La Pandore* surenchérit :

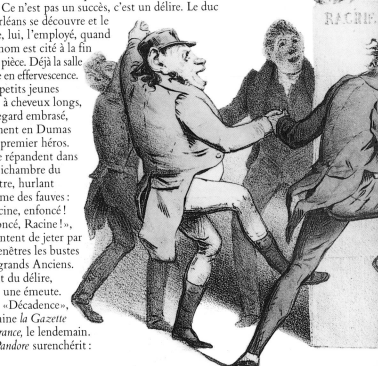

66 A partir du troisième acte jusqu'à la fin, ce ne fut plus un succès, ce fut un délire croissant : toutes les mains applaudissaient, même celles des femmes ; madame Malibran, penchée tout entière en dehors de sa loge, se cramponnait de ses deux mains à une colonne pour ne pas tomber.

Puis, lorsque Firmin reparut pour nommer l'auteur, l'élan fut si unanime, que le duc d'Orléans se leva lui-même, et écouta debout et découvert le nom de son employé, qu'un des succès, sinon les plus mérités, du moins les plus retentissants de l'époque, venait de baptiser poète. 99

Alexandre Dumas,
Comment je devins auteur dramatique

«Les anarchistes de la littérature ont envahi la Seine.»

Dans la lancée de son premier succès, Dumas écrit comme un fou. En six semaines, il rédige *Antony*. Puis *Christine*. Mais les clans légitimistes, qui avaient vu, dans *Henri III et sa cour*, «la royauté et la religion livrées aux bêtes de l'amphithéâtre», font interdire l'un et l'autre dramas par la censure. La bête est mourante, mais elle peut encore mordre.

Le prochain scandale est en marche : le 25 février, Hugo fait représenter *Hernani*.

Une armée de chevelus hurlants détruit la tragédie et invente le drame : «A la guillotine les genoux !»

Cette fois, on ne peut pas dire que la troupe romantique a été prise par surprise. Hugo a distribué deux cents invitations sous la forme d'un billet rouge – la couleur du sang – où est écrit le mot *Hierro* : fer, en espagnol (et aussi le H et le O de Hugo). Ce n'est plus une troupe, c'est une armée qui envahit le théâtre dès trois heures – alors que le lever de rideau est annoncé pour sept heures. On bivouaque. On mange, on boit. Quand les «classiques» entrent à leur tour, ils pénètrent dans une vraie arène, un champ clos qui sent un peu le fauve.

Dumas est là, avec Balzac, Berlioz, Petrus Borel, dit l'homme-loup, Gérard de Nerval et Théophile Gautier dont le gilet de satin rouge insulte les regards rassis. On s'installe. Les classiques rient des tignasses invraisemblables de ces barbares de l'orchestre. Les barbares rétorquent en traitant leurs ennemis déplumés de «genoux». Tomates et trognons de choux volent. Et la pièce n'a pas encore commencé. Est-ce Jehan du Seigneur, sculpteur médiévalisant, qui a hurlé : «A la guillotine, les genoux» ? Enfin les trois coups.

66 Oui, nous les regardâmes avec un sang-froid parfait, toutes ces larves du passé et de la routine, tous ces ennemis de l'art, de l'idéal, de la liberté et de la poésie (...) ; et nous sentions dans notre cœur un sauvage désir d'enlever leur scalp avec notre tomahawk pour en orner notre ceinture ; mais à cette lutte, nous eussions couru le risque de

Et le scandale dès le premier vers :
«Serait-ce déjà lui ? C'est bien à l'escalier
«Dérobé.»
«La querelle était déjà engagée, écrira plus tard
Gautier. Ce mot rejeté sans façon à l'autre vers, cet
enjambement audacieux, impertinent même, semblait un
spadassin de profession, allant donner une pichenette sur le
nez du classicisme pour le provoquer en duel.»

Henri III c'était le scandale en prose, avec *Hernani* c'est
le scandale en vers. Ce n'est plus une émeute, c'est une
révolution.

cueillir moins de
chevelures que de
perruques ; l'école
classique étalait au balcon
et à la galerie du Théâtre-
Français une collection de
têtes chauves... **99**
Théophile Gautier,
Victor Hugo

RUE
de Richelieu

CAFÉ
Minerve

La Comédie-Française

L e théâtre de la place
du Palais-Royal et la
Société des comédiens qui
l'occupe n'ont une histoire
commune que depuis 1804.
Construit par Victor Louis
entre 1787 et 1790, le
théâtre faisait partie du
palais et devait servir
d'opéra au duc d'Orléans.
La troupe de la Comédie-
Française est beaucoup
plus ancienne. Elle est née
en 1680, de la fusion des
trois plus importantes
troupes de l'époque :
l'Illustre Théâtre de
Molière, le théâtre du
Marais et les Grands-
Comédiens, à l'Hôtel de
Bourgogne (en souvenir
de cette unification, la
Comédie-Française frappe
six coups au lieu de trois).
Elle s'installe tour à tour
dans différentes salles
de Paris : rue Mazarine,
rue des Fossés-Saint-
Germain-des-Prés (appelée
aujourd'hui pour cette
raison rue de l'Ancienne-
Comédie), aux Tuileries
et enfin à l'Odéon, et
bénéficie d'une véritable
situation de monopole.
Les bouleversements de la
Révolution se répercutent
aussi au Français ; la troupe
est dissoute en 1792. Elle
est reconstituée en 1804,
et c'est à cette date qu'elle
s'installe dans la salle
actuelle. En 1812,
Napoléon la confirme dans
sa double mission :
sauvegarde du patrimoine
dramatique français et
augmentation de ce
patrimoine par la création
de nouveaux chefs-
d'œuvre, ce qui, on le sait,
ne se passera pas sans
batailles...

Vigny

Nodier

Chateaubriand

Un auteur face à ses juges

Avant d'être jouée, une pièce doit être acceptée. Dumas, pour sa pièce *Henri III et sa cour*, subit le rituel de la lecture dans le foyer de la Comédie-Française, devant des comédiens, d'autres auteurs et divers responsables du théâtre, dernière étape d'une longue série de lectures publiques devant des auditoires moins officiels. Ce véritable «chemin de croix», il le rappelle dans ses *Mémoires*. D'abord, une lecture d'essai : «*Henri III* achevé, je le lus chez Mme Waldor en petit comité. La pièce fit grand effet ; mais l'avis unanime fut que je devais faire représenter *Christine* auparavant. *Henri III*, disait-on, était trop risqué pour un premier ouvrage.» Puis une lecture devant des amis plus nombreux et un comédien, Firmin, qui était enchanté. Il se chargea de demander lecture pour moi. En attendant, il réunirait, si je voulais, ses camarades chez lui, et je ferais une lecture qui précéderait la lecture définitive au Théâtre-Français.» Ensuite une lecture officieuse, devant les comédiens, dont l'effet «fut immense sur tout le monde». Enfin, la lecture officielle et la réception : «il fut décidé que, dès le surlendemain, jour de comité, on demanderait une lecture extraordinaire, et que l'on obtiendrait un tour de faveur ; ce qui permettrait à la pièce d'être jouée immédiatement. La pièce fut lue le 17 septembre 1828, et reçue par acclamation.»

Hugo

Dumas

Mlle Ploix

Joanny

Firmin

La Société des comédiens français

Régie par les mêmes règles depuis sa fondation, la Société comprend une trentaine de membres qu'elle recrute par cooptation et dont le contrat est de quinze ans au minimum. A ces sociétaires s'ajoutent des artistes de complément, engagés à l'année, les pensionnaires. Un administrateur, nommé par le pouvoir, préside un comité composé de huit sociétaires, qui fixe le programme, distribue les rôles. Parallèlement, un comité de lecture reçoit les pièces nouvelles.

Dans les années 1830, Dumas, Hugo y sont reçus pour *Henri III* et *Christine, Marion Delorme* et *Hernani.* Mlle Mars et Firmin ont les rôles principaux d'*Henri III* et d'*Hernani* : pour des auteurs de moins de 30 ans, des interprètes confirmés, puisque Mlle Mars-Doña Sol a 51 ans et Firmin-Hernani, 44.

Mlle Mars

Ligier

La censure autorise en 1830 la pièce de Dumas, *Christine,* écrite et interdite l'année précédente. A la première, le succès est mitigé. Dumas a bien conscience qu'il faut remanier sa pièce. Mais le moyen ? A la fin de la représentation, les amis ont envahi son appartement. Hugo et Vigny se concertent d'un clin d'œil, ramassent l'énorme manuscrit, et rapetassent la pièce en une nuit. Quand Dumas s'éveille, vers midi, *Christine,* version définitive, est sur son bureau.

CHAPITRE III
L'HOMME PRESSÉ

En trois jours de révolution, les Trois Glorieuses de juillet 1830, la royauté absolue de Charles X va être éliminée et remplacée par une forme de gouvernement plus favorable à la grande bourgeoisie d'affaires, au grand dam des républicains.

Les gouvernements successifs de Charles X, au fur et à mesure qu'ils s'enfoncent dans une impopularité croissante, se figent sur les préjugés et les prérogatives nobiliaires. Pour redorer un blason terni, on a décidé la conquête d'Alger. Le 25 mai 1830, 350 bateaux portant 35 000 hommes quittent Toulon. Début juillet, c'est la victoire. Dumas lui-même songe à s'embarquer pour Alger. Un pressentiment le retient à Paris : le grand spectacle va se jouer là.

C'est le 14 juin 1830 que les 35 000 hommes du maréchal de Bourmont et de l'amiral Duperré débarquèrent à Sidi-Ferruch, près d'Alger. Le prétexte de l'expédition était un peu spécieux ; on sait que cet effet «poudre aux yeux» ne prit pas.

Trois journées qui en durent cinq, mais qui n'en sont pas moins Glorieuses : quel bel anniversaire pour Dumas !

Il avait fallu six ans de Révolution permanente pour éliminer Louis XVI, et encore imparfaitement, puisque la France n'était sortie de la Terreur que pour tomber en Bonaparte. Il suffira de cinq jours, à la fin de juillet 1830, pour briser à jamais la monarchie absolue : Charles X ira mourir en Angleterre.

66 De la conquête d'Alger, vous savez la cause : un jour, agacé par notre consul, le dey lui avait donné un coup d'éventail à travers le visage. Ce coup d'éventail avait été suivi de trois ans de blocus ; mais, attendu que ce blocus ne bloquait rien, Hussein-dey, avec la logique turque, en avait conclu que, comme l'insulté, en Turquie, se venge toujours dans la mesure de sa force, nous n'étions pas bien forts, puisque nous ne nous vengions pas. En conséquence, étant bloqué, et tout bloqué qu'il était, il se donna la distraction de faire canonner le vaisseau d'un parlementaire ; en outre, il menaçait tout bonnement notre consul à Tripoli de le faire empaler ; notre consul à Tripoli, qui n'avait aucun goût pour ce genre de mort, se réfugia à bord d'un bâtiment anglais, qui le déposa, un beau jour, à Marseille. C'était par trop d'insolences : l'expédition d'Afrique fut résolue. 99
A. Dumas, *Mes Mémoires*

Dumas était depuis longtemps républicain. Déjà en 1825 il avait eu son premier duel sérieux pour un «manteau à la Quiroga», du nom du général des forces constitutionnelles nées de la révolte de Riego. Deux pouces d'acier dans l'épaule de son adversaire – pouvait-il perdre alors qu'il se battait avec l'épée de son père ?

Pendant trois journées, les Trois Glorieuses, Dumas fait le coup de feu contre les troupes royales. Le jeudi 29 juillet, il conquiert avec une masse de peuple le musée de l'Artillerie. Aux intentions premières – trouver des armes – s'ajoute une odeur de pillage. Dumas, qui en vrai romantique a une conscience chatouilleuse de l'Histoire, s'efforce de sauver le plus précieux. Il coiffe le casque de François Ier, se saisit de son épée et de son bouclier, ajoute à la charge l'arquebuse de Charles IX, avec laquelle ce roi a peut-être fusillé, des fenêtres du Louvre, des protestants pourchassés pendant la nuit de la Saint-Barthélemy. En nouveau Bayard, Dumas regagne son appartement. Il aura encore le temps de sauver la cuirasse damasquinée du vainqueur de Marignan ; et de retraverser Paris, moitié en armure Renaissance, moitié en habit 1830. A peine le temps de changer de chemise (il fait une chaleur infernale, en cette fin juillet, les nuits même ont une température d'émeute), et il part avec le peuple conquérir les Tuileries. Il y récupère un exemplaire de *Christine* relié en maroquin violet.

Dans la cour du palais, des hommes travestis en filles, avec les oripeaux des princesses enfuies, dansent la gigue.

La Révolution a les bras et les fusils, mais risque de manquer de poudre. Charles X, qui n'a peut-être pas encore compris qu'il est battu, risque, dans les imaginations, de reconquérir Paris avec des troupes fidèles.

Dumas extorque à La Fayette, le vieux libérateur de l'Amérique remis en selle une dernière fois par sa popularité,

66 Dans tous ces quartiers pauvres et populaires on combattit instantanément, sans arrière-pensée (...) Les femmes, aux croisées, encourageaient les hommes dans la rue ; des billets promettaient le bâton de maréchal au premier colonel qui passerait au peuple ; des groupes marchaient au son d'un violon. C'étaient des scènes tragiques et bouffonnes. 99

Chateaubriand, *Mémoires d'outre-tombe*

La révolution de Juillet

Le 3 juillet 1830, des élections (pourtant soumises au régime censitaire, où seule la frange la plus fortunée de la bourgeoisie vote) portent à la Chambre des députés une majorité libérale.

En réponse à cet échec personnel, le 25, Charles X promulgue les 4 ordonnances de Saint-Cloud, par lesquelles il annule les élections et en convoque de nouvelles ; modifie le cens électoral, pour restreindre le droit de vote, et enfin supprime totalement la liberté de la presse.

Le 26, les journalistes de gauche appellent à l'insurrection.

Le 27, les journaux interdits paraissent et sont saisis. Ouvriers typographes et étudiants se soulèvent.

Le 28, l'insurrection progresse. Les insurgés attaquent l'Hôtel de Ville et réclament le rétablissement de la République.

Charles X s'enfuit à Saint-Cloud.

La Liberté guidant le peuple

Le tableau de Delacroix était à l'origine sobrement intitulé *le 28 Juillet 1830.* Le titre définitif, plein de lyrisme révolutionnaire, peut prêter à sourire lorsqu'on connaît l'attitude de Delacroix durant ces journées de Juillet.

❝Lorsque, le 27 juillet, je rencontrai Delacroix du côté du pont d'Arcole et qu'il me montra quelques-uns de ces hommes que l'on ne voit que les jours de révolution, et qui aiguisaient sur le pavé l'un un sabre, l'autre un fleuret, Delacroix, je vous en réponds, avait grand'peur et me témoigna sa peur de la façon la plus énergique. Mais, quand Delacroix eut vu flotter sur Notre-Dame le drapeau aux trois couleurs, quand il reconnut, lui fanatique de l'Empire, (...) l'étendard de l'Empire, ah ! ma foi, il n'y tint plus : l'enthousiasme prit la place de la peur, et il glorifia ce peuple qui, d'abord, l'avait effrayé.❞

Alexandre Dumas
*Conférence sur
Eugène Delacroix*

L'avènement de Louis-Philippe

Le 29 juillet, les députés libéraux optent pour une monarchie constitutionnelle et font appel au duc d'Orléans. Charles X abdique et avant de s'exiler en Angleterre nomme Louis-Philippe régent du royaume. Le 30, celui-ci entre dans Paris et prépare pour le lendemain un coup d'éclat, une parade qui le mène du Palais-Royal (cette scène est peinte par Horace Vernet) à l'Hôtel de Ville où l'accueillent La Fayette et les représentants de la bourgeoisie libérale. Ceux-ci lui confient le pouvoir : la révolution de Juillet ne débouche pas sur une république mais sur une «monarchie bourgeoise».

un ordre de mission quelque peu falsifié pour aller s'approprier le contenu de la poudrière de Soissons — c'est, après tout, chez lui.

Peut-être aussi ne se résigne-t-il pas à l'anonymat des révolutions. Il est trop naïf pour être un politique, mais il l'est bien assez pour être un héros.

Pour prendre une ville d'assaut, il suffit d'être deux, et d'être un peu sales

Sur les marches de l'Hôtel de Ville, qu'il dévale précipitamment, son ordre de mission à la main, Dumas croise le peintre Bard :

— Eh ! Bard, cher ami, que faites-vous là ?

— Moi ? Je regarde... C'est drôle, n'est-ce pas !

— C'est plus que drôle, c'est magnifique ! Qu'avez-vous fait dans tout cela, vous ?

— Rien... Je n'avais pour toute arme que la vieille hallebarde qui est dans mon atelier.

— Voulez-vous vous rattraper d'un seul coup ?

— Je ne demande pas mieux.

— Venez avec moi, alors.

— Où cela ?

— Vous faire fusiller.

— Je veux bien.

Et voilà un littérateur et un peintre qui partent, à deux, conquérir Soissons.

Ceux qui appellent fou Don Quichotte parce qu'il part avec le seul Sancho à la conquête des moulins, ceux-là hocheront la tête avec un air de commisération.

On gagne Soissons à franc étrier. Pendant que Bard va essayer de contacter les républicains (minoritaires) de la ville, Dumas part seul à l'assaut de la citadelle renfermant la poudrière.

Il s'introduit dans le cabinet de travail du commandant de la place, M. de Liniers, le menace de ses pistolets. Le militaire ricane à la vue de ce grand diable noir de poudre et de poussière. Dumas, qui n'arrive pas à lui extorquer l'ordre d'ouvrir la poudrière, va tirer, quand la porte s'ouvre. Une femme éplorée, échevelée, traverse la pièce, se jette dans les bras de Liniers :

— O mon ami, cède, cède, s'écrie-t-elle, c'est une seconde révolte de nègres...

66 Ceux qui ont fait la révolution de 1830, c'est cette jeunesse ardente du prolétariat héroïque qui allume l'incendie, il est vrai, mais qui l'éteint avec son sang ; ce sont ces hommes du peuple qu'on écarte quand l'œuvre est achevée et qui, mourant de faim, après avoir monté la garde à la porte du Trésor, se haussent sur leurs pieds nus pour voir, de la rue, les convives parasites du pouvoir, admis, à leur détriment, à la curée des charges, au festin des places, au partage des honneurs. 99

A. Dumas,
Mes Mémoires

Devant la foule qui se presse place de Grève, deux hommes apparaissent au balcon de l'Hôtel de Ville : La Fayette et le duc d'Orléans se donnent l'accolade sous les plis du drapeau tricolore.
«Le baiser républicain de La Fayette a fait un roi», écrit Chateaubriand à propos de cette journée du 31 juillet 1830.
Louis-Philippe ne sera apprécié ni des républicains qu'il a trompés, ni des vrais royalistes qu'il a dépossédés du pouvoir. Mais, roi bonhomme et démagogue, il sera fort aimé du peuple et des banquiers.

Et elle fixe sur Dumas un regard effaré.

– Mon ami, continue Mme de Liniers, cède, je t'en supplie, fais ce qu'on te demande, au nom du ciel!... Souviens-toi de mon père et de ma mère, massacrés à Saint-Domingue!

Jeu des hasards : ce grand gaillard frisé, le visage coloré par trois jours de soleil, et un peu ivre de l'odeur de la poudre, avait brutalement tout repris de son atavisme antillais. Ce n'est plus l'envoyé de La Fayette mais le petit-fils de Marie-Cessette Dumas, l'esclave indigène avec laquelle avait vécu, dans l'immoralité la plus complète, son indigne grand-père, le marquis Davy de la Pailleterie. Monsieur de Liniers cède.

Un drapeau tricolore a été pendant ce temps déployé sur la façade de la cathédrale. Dumas, avec dans sa poche la reddition de la garnison, mais qui n'a pas trouvé les clefs de la poudrière, en descelle la porte à coups de hache. Dans le petit matin encore taché de nuit, des gerbes d'étincelles volent, à deux pas d'une demi-tonne de poudre.

Héroïsme pour rien : lorsque Dumas et Bard, le lendemain, arrivent à Paris avec leur chargement, la situation a évolué irrévocablement. Thiers et le banquier Laffitte ont cocufié la victoire, et installé sur le trône un monarque constitutionnel qui saura sauver la rente et rassurer le commerce.

Si vous voulez aider les écrivains, mettez-les en prison. Mais dans une prison dorée, si possible…

Harel, le directeur de l'Odéon, avait besoin d'une pièce. Mais le besoin le plus urgent. Dumas, de retour d'un voyage dans l'Ouest est donc invité à un souper chez

Mlle Georges, la très séduisante et plantureuse actrice vedette de l'Odéon. Elle se prodigue. On fait débauche d'esprit jusqu'à trois heures du matin.

Sous un prétexte quelconque, Georges entraîne Dumas dans sa chambre. « Que me montra-t-elle, écrit Dumas. Je ne saurais trop le dire ; seulement, ce qu'elle me montra était si beau, que je fus plus d'un quart d'heure à revenir dans le salon. »

Harel reste seul au salon. Un parfum de conspiration plane dans l'air. Harel fait retraverser l'appartement à Dumas, disant qu'il le conduit vers une sortie dérobée, et l'amène finalement dans une pièce proprement aménagée en chambre-bibliothèque.

Et il l'y tient enfermé huit jours. Le temps qu'il écrive un *Napoléon* dont son théâtre a besoin.

Dumas commence par protester :

– Et n'est-ce-rien, lui fait remarquer Mlle Georges, que la seule issue de votre chambre donne dans la mienne ?

Dumas est choyé huit jours. Il écrit avec des ciseaux une mauvaise pièce, faite de citations historiques mises bout à bout. De ce succès, car c'en est un !, notre homme ne se vantera jamais.

Le manuscrit d'*Antony* datait de 1829. Censure, levée de la censure – la révolution de Juillet servit au moins à cela, le temps que la morale se remit en selle –, début des répétitions à la Comédie-Française.

Mais Mlle Mars, la vedette de la troupe, n'aime pas le

Malgré des dons théâtraux limités, Mlle Georges (à gauche) fait carrière en Russie d'où elle revient célèbre en 1813. Elle assure ensuite le succès des grands drames de Vigny et de Dumas.

Durant tout le XIXᵉ siècle la Comédie-Française et l'Odéon se disputent les préférences du public «bourgeois» : à la plus vieille des deux scènes, le Français, le répertoire classique et quelques créations ; à l'autre, les pièces d'avant-garde à risque ou les mises en scène à grand spectacle. Les théâtres de boulevard, eux, montent en alternance des vaudevilles et les pièces refusées par les deux temples du «vrai théâtre».

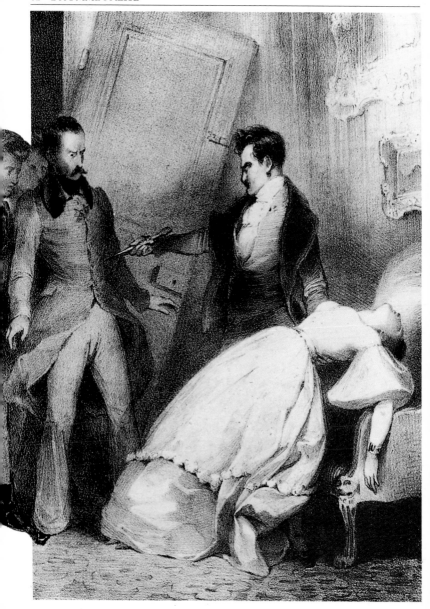

rôle d'Adèle. Tant de passion pour un homme ne convenait guère à son tempérament d'amazone. C'est l'ultime et incontournable problème. Dumas, qui savait que sa pièce était bonne, et n'entend pas la saboter pour les beaux yeux de l'interprète principale, retire sa pièce et court la porter au Théâtre de la Porte-Saint-Martin, où Marie Dorval cherchait justement un rôle.

«Elle me résistait, je l'ai assassinée !» Le plus célèbre succès de la scène romantique tient en une phrase. Mais quelle phrase !

Le 3 mai 1831, *Antony* est le plus grand triomphe de la scène romantique : cris, frénésie, torrents de larmes. Trois mois avant, l'auteur avait démissionné de son ultime emploi officiel, celui de bibliothécaire du duc d'Orléans devenu Louis-Philippe.

Deux mois avant, Dumas qui avait transposé dans *Antony* ses amours avec Mélanie Waldor, avait une fille, Marie, d'une comédienne rencontrée auparavant, Belle Krebsamer. Restait à faire vivre tout ce monde.

L'année 1832 commence bien. Succès personnel : la conquête d'une jeune actrice, Ida Ferrier, que Dumas installe au théâtre du Palais-Royal, Juliette Drouet, la maîtresse de Hugo, ayant été engagée par l'Odéon.

Marie Dorval fut le grand amour d'Alfred de Vigny. Celui-ci l'avait connue durant les répétitions d'*Antony*, en 1831. C'est l'année suivante qu'il évoque en ces termes dans le *Journal d'un poète* celle qui fut la plus émouvante actrice des mélodrames romantiques : «Elle essaye sa voix en parlant haut, elle essaye son âme en passant par tous les tons et tous les sentiments. Elle s'étourdit de l'art et de la scène par avance, elle s'enivre.»

L'histoire d'*Antony* est à elle seule un résumé des passions romantiques, Adèle, fiancée par son père au colonel d'Hervey, rencontre Antony, sombre héros au passé plein de mystère, et en tombe amoureuse. Mais Antony, peut-être à cause de son passé, ne veut pas se lier à Adèle et disparaît, la laissant épouser le colonel. Il revient trois ans plus tard, sauve la vie d'Adèle, la persuade de s'enfuir avec lui. D'Hervey arrive dans la chambre où ils abritent leurs amours : pour sauver au moins l'honneur de celle qu'il aime, Antony la poignarde et s'écrie, quand on parvient enfin à enfoncer sa porte : «Elle me résistait, je l'ai assassinée !» La pièce s'achève sur cette phrase.

Ida Ferrier réussira l'impossible : se faire épouser par Alexandre Dumas !

Le Moyen Âge avait la peste, le XIXᵉ siècle a encore le choléra. Mais cela se soigne très bien à l'éther

Brusquement, le choléra s'installe à Paris. Au bout d'une semaine, entre fin mars et début avril, on manque de cercueils. Quatre morts le 26 mars, 7 000 le 14 avril, et 12 ou 13 000 malades. Ce sera le décor d'apocalypse des *Mystères de Paris,* d'Eugène Sue, qui paraîtront pourtant dix ans plus tard : l'épidémie a traumatisé la mémoire collective.

Dumas n'y échappe pas. Faiblesse, sensation de froid intense. Il s'engloutit sous des tonnes de couvertures et

boit sur un malentendu un verre d'éther pur. Syncope. Quand il se réveille, il brûle du dedans, et rissole du dehors, car on ne cesse de bassiner son lit avec des braises chaudes. Il s'en tire, exténué.

C'est dans cet état que Harel, l'insatiable directeur de l'Odéon, lui fait réécrire *la Tour de Nesle* une mauvaise pièce d'un inconnu, Frédéric Gaillardet, guettant avec une délicatesse de fauve chaque feuillet du manuscrit tombant de la main tremblante de Dumas. Celui-ci en fera un succès, mais il n'en peut plus. Vers la mi-juillet, il part en convalescence en Suisse.

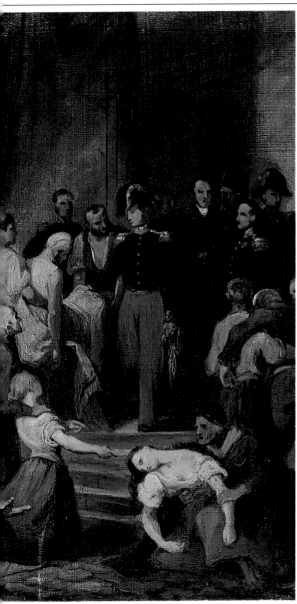

Face à la grande peur des Parisiens, Louis-Philippe se veut rassurant : il va visiter les cholériques à l'Hôtel-Dieu, autant par hardiesse que par démagogie. Le tableau est d'Alfred Johannot (1800-1837), l'un des proches amis de Dumas. Les caricaturistes, avec un mauvais goût percutant, ne rateront pas l'occasion de représenter le gouvernement «attaqué par le choléra morbus» (à gauche).

66Dans la rue de Sèvres complètement dévastée surtout d'un côté, les corbillards allaient et venaient de porte en porte. Ils ne pouvaient suffire aux demandes, on leur criait par les fenêtres : «corbillard ici !» Le cocher répondait qu'il était chargé et ne pouvait servir tout le monde. Un de mes amis, M. Pouqueville, venant dîner chez moi le jour de Pâques, arrivé au boulevard du Mont-Parnasse, fut arrêté par une succession de bières presque toutes portées à bras. Il aperçut dans cette procession le cercueil d'une jeune fille sur lequel était déposée une couronne de roses blanches. Une odeur de chlore formait une atmosphère empestée à la suite de cette ambulance fleurie.99

Chateaubriand
Mémoires d'outre-tombe

Dumas voyagea beaucoup, mais il ne fut pas le seul : il était de bon ton, au XIXᵉ siècle, d'explorer l'Europe et l'Orient. Dumas visita tout le Bassin méditerranéen, de l'Espagne au Sinaï en passant par l'Afrique du Nord, récente conquête française. De chacun de ses voyages il tira un ou plusieurs volumes, qui paraissaient généralement dans la presse (les voyageurs cultivés d'alors étaient les «correspondants permanents» d'aujourd'hui) avant leur sortie en librairie : aux *Impressions de voyage en Suisse* succèdent *la Méditerranée et ses côtes* (1834), *Quinze Jours au Sinaï* (1838), *le Midi de la France* (1841), *Une année à Florence* (1841), *Excursions sur les bords du Rhin* (1841), *le Speronare* (1842), *le Corricolo* (1843), *De Paris à Cadix* (1847), *le Véloce* (1848), *Impressions de voyage en Russie* (1859), *l'Arabie heureuse* (1860)... sans compter les multiples anecdotes à motif géographique de ses autres œuvres.

Après la maladie, la convalescence. Dumas va se refaire une santé dans les montagnes suisses

Le XVIIIᵉ siècle avait mis les voyages à la mode. Mais lorsque Voltaire se rendait en Angleterre ou en Prusse, lorsque Diderot partait chez Catherine II de Russie, c'était les gouvernements qu'ils visitaient. Ils faisaient du tourisme en morale et en politique.

Rousseau, à l'opposé, lança le voyage pittoresque, à pied. Genevois de naissance, ayant situé dans le pays de Vaud son plus grand succès public, *la Nouvelle Héloïse* (1761), il fit à la Suisse une réputation mondiale. Sur les traces de Rousseau, le héros de Sénancour, Oberman, promène en 1804 son vague à l'âme de cimes en sommets. La montagne devient un paysage mental. Chateaubriand, Byron, et même Stendhal, plus tard, concourent à l'élaboration de ces paysages sentimentaux.

Le XIXᵉ siècle explore donc la Suisse. Les Français y exportent leur mélancolie, et les Anglais leur spleen. Plus prosaïquement, Dumas s'y refait des forces à gravir les glaciers, à traverser les lacs, à humer l'air raréfié des sommets. De ces promenades sportives, il tirera plusieurs nouvelles, puis deux forts volumes, l'année suivante. Insensiblement, il ajoute à son art dramatique un art du récit.

Le 18 février 1833, le roi Louis-Philippe donne un bal costumé aux Tuileries. N'y sont conviés bien sûr ni les républicains, ni les romantiques échevelés (les deux mots sont de plus en plus synonymes, même si Hugo, qui veut se faire élire à l'Académie, reste sur des positions plus

❝Je me levai donc d'un air parfaitement tranquille, et je m'avançai de nouveau vers le précipice dont la vue avait produit en moi l'effet que j'ai essayé de décrire. Un petit sentier, large de deux pieds et demi, se présentait ; je le pris d'un pas en apparence aussi ferme que celui de mon guide ; seulement, de peur que mes dents ne se brisassent les unes contre les autres, je mis dans ma bouche un coin de mon mouchoir, replié vingt fois sur lui-même. Je descendis deux heures en zigzag, ayant toujours, tantôt à ma droite, tantôt à ma gauche, un précipice à pic, et j'arrivai, sans avoir prononcé une seule parole, au village de Louëche.**❞**
A. Dumas, *Impressions de voyage en Suisse*

décemment monarchiques). On susurre à Dumas d'organiser un bal concurrent, un camouflet aux gens de bon ton. Le logement de la rue Saint-Lazare est trop exigu pour les deux cents personnes invitées ? On annexe pour la soirée l'appartement du même palier, qui vient de se libérer. Cet appartement n'a pas un air de fête, avec ses murs tout blancs ? On va demander aux amis de décorer tout cela.

Quinze génies pour décorer un appartement de location. On effacera tout le lendemain pour ne pas fâcher le propriétaire...

Les amis ne se font pas prier. Pendant que Dumas, qui s'inquiète, en gourmand qu'il est, de ce qu'il pourra offrir à manger à ces ventres affamés, est parti tuer du chevreuil et du lièvre dans les environs, les artistes amis de l'amphitryon viennent décorer le lieu du bal.

Trois jours avant le bal, tout le monde est à son poste. Tous ces peintres, tous ces illustrateurs, par un mouvement naturel de délicatesse à l'adresse des invités, illustrent les murs de scènes inspirées des récents chefs-d'œuvre théâtraux. Alfred Johannot esquisse une scène de *Cinq Mars,* son frère un *Sire de Giac,* Clément Boulanger une *Tour de Nesle,* Louis Boulanger une *Lucrèce Borgia,* Jadin et Decamps un *Debureau,* Granville un *Orchestre,* Barye parsème les panneaux de tigres, et Nanteuil campe, sur deux portes, deux portraits symétriques de Hugo et de Vigny. Le tout à la détrempe, sorte d'aquarelle.

Manque Delacroix.

Au midi du troisième et ultime jour, six heures avant le début de la fête, quand chacun s'efforçait fébrilement de mettre la dernière main, la dernière touche, aux œuvres jetées sur les murs, Delacroix entre en sifflotant. Il visite l'appartement, félicitant chacun des artistes. Puis comme il

est l'heure de déjeuner, il se joint au repas. Enfin :

— Eh bien ? demanda-t-il en se tournant vers le panneau vide. Que voulez-vous que je vous bâcle là-dessus ?

— Mais vous savez, répond Dumas, un roi Rodrigue après la bataille :

«Sur les rives murmurantes
Du fleuve aux ondes sanglantes,
Le roi sans royaume allait,
Froissant, dans ses mains si saignantes,
Les grains d'or d'un chapelet.»

Eugène Delacroix (1798-1863) à droite dans cette scène de salon, reçoit la formation type du peintre romantique. Tout en lisant Shakespeare, Byron et Walter Scott, il copie les tableaux flamboyants de Rubens, Goya, Géricault. En 1825, il cause un premier grand scandale avec *les Massacres de Scio*, puis en 1828, avec la *Mort de Sardanapale*.

Beau sujet... Sans même ôter sa redingote cintrée à la taille, qu'il avait fine, Delacroix lance sur le panneau une esquisse au fusain, incompréhensible pour tout autre œil que le sien. Puis il commence à peindre.

«Alors, en un instant, et comme si l'on eût déchiré une toile, on vit sous sa main apparaître d'abord un cavalier tout sanglant, tout meurtri, tout blessé, traîné à peine par son cheval, sanglant, meurtri et blessé comme lui, n'ayant plus assez de l'appui des étriers, et se courbant sur sa longue lance ; autour de lui, devant lui, derrière lui, des morts par monceaux ; – au bord de la rivière, des blessés essayant d'approcher leurs lèvres de l'eau, et laissant derrière eux une trace de sang ; – à l'horizon, tant que l'œil pouvait s'étendre, un champ de bataille acharné, terrible ; – sur tout cela, se couchant dans un horizon épaissi par la vapeur du sang, un soleil pareil à un bouclier rougi à la forge ; – puis, enfin, d'une teinte inappréciable, quelques nuages roses comme le duvet d'un ibis.

«Tout cela était merveilleux à voir : aussi un cercle s'était-il fait autour du maître, et chacun, sans jalousie, sans envie, avait quitté sa besogne pour venir battre des mains à cet autre Rubens qui improvisait tout à la fois la composition et l'exécution. En deux ou trois heures, ce fut fini.»

Si, ce soir-là, la maison de Dumas avait brûlé avec ses occupants, on n'aurait plus jamais parlé du romantisme

On comprend que dans un cadre pareil, le bal soit un succès. Dumas reçoit, habillé en seigneur de 1525, sa maîtresse du jour en courtisane de Rubens, les acteurs de la Comédie-Française ont les costumes de *Henri III*, Mlle Georges est en paysanne italienne, ce qui l'autorise

66 Le bal avait fait un bruit énorme. J'avais invité à peu près tous les artistes de Paris ; ceux que j'avais oubliés m'avaient écrit pour se rappeler à mon souvenir. Beaucoup de femmes du monde en avaient fait autant, mais elles demandaient à venir masquées : c'était pour les autres femmes une impertinence que je laissai à la charge de celles qui l'avaient faite. Le bal était costumé, mais non masqué. 99

Mes Mémoires

La fête qu'organise Dumas tient à la fois du bal masqué et du carnaval. La pratique des bals masqués est importée en France dans les fourgons de l'armée d'Italie, au début du XVIe siècle. Mais Dumas exige de ses hôtes, non qu'ils soient masqués mais surtout déguisés. Lui-même, fort du récent succès d'*Henri III*, n'y manque pas.

66 J'avais découvert à la bibliothèque, dans un petit livre de gravures du frère de Titien, un charmant costume de 1525 : cheveux arrondis et pendant sur les épaules, retenus par un cercle d'or ; justaucorps vert d'eau, broché d'or, lacé sur le devant de la chemise avec un lacet d'or, et rattaché à l'épaule et aux coudes par des lacets pareils ; pantalon de soie mi-parti rouge et blanc ; souliers de velours noirs à la François Ier, brodés d'or. 99

Mes Mémoires

à exhiber généreusement son bras et son épaule, d'une rondeur et d'un délié charmants, et sa gorge plus ronde et plus charmante encore ; le maestro Rossini s'est costumé en Figaro, Barye, bien sûr, en Tigre du Bengale, Musset en Paillasse rieur, Eugène Sue en domino pistache et Delacroix lui-même en Dante.

Discret, Dumas ne nous dit pas quel était le déguisement de Hugo, venu incognito, et en cachette de sa femme, avec sa belle maîtresse, Juliette Drouet.

Deux orchestres sont installés, un dans chaque appartement. Les portes étant ouvertes, on peut commencer un galop dans l'appartement de droite, et, passé le palier, l'achever en valse dans l'appartement de gauche.

« Il y eut pendant un moment, sept cents personnes. » Et à neuf heures du matin, on lance la dernière danse au fil des boulevards.

Dans un salon de musique, des invités célébrissimes : Liszt est au piano, le regard fixé sur le buste de Beethoven. A ses pieds Marie d'Agoult, sa maîtresse. La main de George Sand est posée sur celle de Dumas. Derrière eux, un livre à la main, Victor Hugo. Les deux compères plus âgés sont Rossini, le compositeur, et Paganini, le violoniste.

Si l'ancêtre commun à toute la musique romantique est Beethoven (1770-1827), les trois grands maîtres étrangers des années 1830-1850 sont Schumann, Liszt et Chopin.
Liszt, connu pour son extraordinaire virtuosité au piano, assiste à la première de la *Symphonie fantastique* de Berlioz, le grand événement musical de l'année 1830, fait la connaissance de Hugo, Lamartine, Delacroix et George Sand. Entré dans les ordres, il a encore le temps, avant de mourir, de voir triompher son gendre Richard Wagner à Bayreuth.
Chopin a la chance de naître polonais : c'est un capital de sympathie à une époque où la Pologne est déchirée entre les appétits russe et prussien. Enfant prodige, il arrive à Paris en 1831, se lie avec tous les romantiques et, finalement, avec George Sand, qui lui fera connaître les affres de la passion.

«Aussi aimable par ses défauts que par ses qualités, plus séduisant par ses vices que par ses vertus»

Dumas est maintenant connu. A tel point qu'on n'évoque plus, dans la presse amie ou ennemie, son physique étonnant (les cheveux blonds de l'enfant ont viré au sombre et sont presque crépus, mais surmontent toujours un visage d'une pâleur très mode où brillent ces yeux saphir exceptionnels). On loue – ou on blâme – son caractère. Un journaliste, Hippolyte Romand, le présente ainsi dans *la Revue des deux mondes,* en janvier 1834.

«M. Dumas (...) est une des plus curieuses expressions de l'époque actuelle. Passionné par tempérament, rusé par instinct, courageux par vanité, bon de cœur, faible de raison, imprévoyant de caractère, c'est tout Antony pour l'amour, c'est presque Richard (Darlington) pour l'ambition ; ce ne sera jamais Sentinelli pour la vengeance ; superstitieux quand il pense, religieux quand il écrit, sceptique quand il parle ; nègre d'origine et français de naissance, il est léger même dans ses plus fougueuses ardeurs, son sang est une lave et sa pensée une étincelle ; l'être le moins logicien qui soit, le plus anti-musical que je connaisse ; menteur en sa qualité de poète, avide en sa qualité d'artiste, généreux parce qu'il est artiste et poète ; trop libéral en amitié, trop despote en amour ; vain comme femme, ferme comme homme, égoïste comme Dieu ; franc avec indiscrétion, obligeant sans discernement, oublieux jusqu'à l'insouciance, vagabond de corps et d'âme, cosmopolite par goût, patriote d'opinion ; riche en illusions et en caprices, pauvre de sagesse et d'expérience ; gai d'esprit, médisant de langage, spirituel d'à-propos ; Don Juan la nuit, Alcibiade le jour ; véritable Protée, échappant à tous et à lui-même ; aussi aimable par ses défauts que par ses qualités, plus séduisant par ses vices que par ses vertus : voilà M. Dumas tel qu'on l'aime, tel qu'il est, ou du moins tel qu'il me paraît en ce moment ; car, obligé de l'évoquer pour le peindre, je n'ose affirmer qu'en face du fantôme qui pose devant moi je ne sois pas sous quelque charme magique ou quelque magnétique influence.»

Un être de contrastes, donc, et qui ne laisse guère indifférent – il fait tout, à vrai dire, pour se faire remarquer. S'il n'a pas encore les «mille et trois» maîtresses du Don Juan de Mozart, il est tout de même amoureux un jour sur deux, toujours d'une femme différente, et infidèle le reste du temps. D'Alcibiade il a l'aspect «lion» : Dumas soigne sa mise, dans un style qui manque un peu de discrétion. De Protée, ce dieu des flots capable de se métamorphoser à sa volonté, il a toute l'inconstance baroque : totalement de son siècle, il est aussi un page Renaissance (ainsi l'a portraituré Devéria), un spadassin du XVIIᵉ, un petit marquis du XVIIIᵉ – après tout il en a un dans ses ancêtres. Sans oublier un côté romain (mais romain de la décadence), mâtiné d'exotisme. Il est en lui-même l'essentiel de la documentation de ses œuvres.

L'Italie est l'autre paysage sentimental du XIXᵉ siècle. Depuis longtemps on y allait pour contempler les ruines, qui donnent toujours de la grandeur une meilleure image que les palais intacts. Ainsi Du Bellay au XVIᵉ siècle, qui

Dumas, un jour, entre dans un salon. L'un de ses ennemis (et il n'en manquait pas, envieux et fielleux de tout poil) le voyant arriver change de conversation et se lance dans une savante dissertation sur les «nègres», comme l'on disait alors. Plaisanteries fines d'un racisme ordinaire. Dumas ne bronche pas. L'autre élargit sa démonstration aux colorés de tous horizons. Dumas n'a garde de bouger, encore moins de répondre. Enfin, n'y tenant plus, l'odieux personnage apostrophe directement notre auteur :
– Mais, au fait, mon cher maître, vous devez vous y connaître, en nègres, avec tout ce sang noir qui coule dans vos veines.
Dumas réplique alors, sans avoir à élever la voix au milieu du profond silence du salon dévoré d'anxiété :
– Mais très certainement. Mon père était un mulâtre, mon grand-père était un nègre et mon arrière-grand-père un singe. Vous voyez, Monsieur : ma famille commence où la vôtre finit.

s'ennuyait sur tous ces marbres. Ainsi le peintre Hubert Robert qui, dans les années 1780, y lisait les preuves de la fragilité des pouvoirs. Plus tard Chateaubriand, Stendhal... Mais la Villa Médicis, à Rome, atelier permanent de l'art mondial, marque la limite sud de la curiosité européenne. Dumas préfèrera les ciels plus brûlants de Naples et de Palerme.

Le 2 août 1835, il entre, de nuit, à Naples. Il y a pleine lune au-dessus d'un Vésuve sanglant.

Naples : baisers de feu, bel canto, lacrima-christi, volcans au sens propre et au sens figuré, et tutti quanti

Les villes sont souvent, dans leurs armoiries, symbolisées par des déesses ou des nymphes. Celle de Naples n'est probablement pas recommandable. Ville italienne, mais d'ascendance espagnole. C'est là que Molière situait *Scapin* : ville fourbe au large de laquelle croisent des galères turques. A la fin du siècle précédent, une héroïne de Sade exaltait l'air de Naples, «rempli de particules nitreuses, sulfureuses et bitumineuses, il doit nécessairement agacer les nerfs, et mettre les esprits animaux dans une beaucoup plus grande agitation».

Et pour ce qui est des «esprits animaux», Dumas... Le point d'attache de Dumas à Naples, c'est très vite le théâtre San Carlo. Théâtre lyrique, où chante la célébrissime Maria Malibran. Où chante également une belle cantatrice d'une trentaine d'années, qui triomphe présentement dans *la Norma* de Bellini, à en faire presque oublier la Pasta, la diva de la Scala de Milan, et de Stendhal... Elle s'appelle Caroline Ungher, et Alexandre l'a – brièvement – rencontrée à Paris, l'année précédente, au Théâtre-Italien. Elle n'était que pour deux jours à Paris :

– En quarante-huit heures, lui aurait-elle dit, j'aurais le temps de vous faire voir que vous me plaisez, mais pas celui de vous prouver que je vous aime.

Dumas est en Italie avec Ida Ferrier – qu'importe, il l'abandonne à Naples, loue un *speronare*, une grande

❝Une heure se passa ainsi, pendant laquelle la nuit devint plus calme et plus sereine encore de l'absence de tout bruit et de toute vapeur terrestre. Aucun nuage ne tachait le ciel, pur comme la mer, aucun flot ne ridait la mer qui réfléchissait le ciel. La lune, continuant sa course au milieu d'un azur limpide, semblait s'être arrêtée un instant au-dessus du golfe, comme au-dessus d'un miroir. C'était une de ces nuits voluptueuses où Naples, la belle fille de la Grèce, livre aux vents sa chevelure d'orangers, et aux flots son sein de marbre. De temps en temps passait dans l'air un de ces soupirs mystérieux que la terre endormie pousse vers le ciel, et à l'horizon oriental, la fumée blanche du Vésuve montait au milieu d'une atmosphère si calme qu'elle semblait une colonne d'albâtre, débris gigantesque de quelque Babel disparue.❞

Alexandre Dumas,
Acté

❝Voici enfin le grand jour de l'ouverture de Saint-Charles (...) Il n'y a rien en Europe, je ne dirai pas d'approchant, mais qui puisse même de loin donner une idée de ceci. Cette salle, reconstruite en trois cents jours, est un coup d'État : elle attache le peuple au roi plus que cette constitution donnée à la Sicile, et que l'on voudrait avoir à Naples, qui vaut bien la Sicile.❞

Stendhal,
Rome, Naples, Florence

barque de pêche à dix matelots, et embarque avec Caroline pour Palerme, où la cantatrice a un engagement.

Un éternel amour de cinq semaines. Même Neptune y met du sien

Caroline charme les matelots à la manœuvre avec les grands airs de son répertoire dont «Casta diva...» Mais voici que le ciel s'agite, que la mer s'enflamme. Tempête dans la baie de Naples. Dumas et Caroline se réfugient dans le roof de toile du speronare, face à face. La lampe à huile s'éteint. La tempête, et la nuit...

Puis d'autres nuits, étoilées, transparentes. A Messine,

ils se séparent momentanément. Caroline gagne Palerme directement, par la route nord. Alexandre garde le bateau, et rejoint Palerme par le sud, en faisant le grand tour de la Sicile.

Dumas a inventé le guide touristique. Lorsqu'en 1842 il publiera *le Speronare*, il offre le plus pittoresque des panoramas aux Parisiens blasés. Taormine et son théâtre au sommet d'un roc. L'Etna, forteresse de feu à deux pas de la mer, Agrigente, et ses temples ocre posés sur l'arête dorsale d'un géant écroulé... «Quant à Palerme, qu'en dire ? C'est le paradis du monde», écrit-il dans *Une aventure d'amour*.

Entre août et septembre 1835, Dumas vit à Palerme un amour fulgurant. Au bout de six semaines, il lui faut partir. Adieux. Mais les dieux aiment, pour cette fois, les belles histoires : calme plat à la sortie du port. Dans l'aube

Depuis la Renaissance l'Italie exerce sur les Français une fascination constante. Du Bellay y était allé conforter sa morosité au spectacle des ruines de l'Empire romain ; ces mêmes ruines attirent à Rome maint peintre ou simplement amateur d'art, qu'il soit ou non prix de Rome, pensionnaire de la Villa Médicis. Ainsi l'architecte Eugène Viollet-le-Duc séjourne à Taormine où il fait le relevé des ruines du théâtre grec, dont il proposera cette somptueuse reconstitution comme travail de fin d'études. D'autres visiteurs sont simplement désireux de vérifier sur le terrain les dires de leurs professeurs d'«humanités» : à une époque où toute bonne instruction repose sur une solide teinture de latin et de grec, on va peaufiner au contact de ces débris glorieux des empires passés ce que l'on a appris en égrenant ses déclinaisons. Le Tout-XIXᵉ siècle se rend en foule en Italie. Dumas y situe d'ailleurs plusieurs de ses œuvres, le *Corricolo*, *Une aventure d'amour*, *Acté*, *les Garibaldiens*, et un long épisode du *Comte de Monte-Cristo*.

D'un voyage en Italie, Dumas rapporte deux sujets de livres. Le *Speronare* et le *Corricolo* sont des «impressions de voyage» des récits drôles et légers de cette équipée entre amis à la découverte de Naples et de la Sicile. Scènes de rue, anecdotes, rencontres avec des personnages importants ou des bandits locaux, incidents de route, mésaventures dans les plus invraisemblables moyens de transport, tout est prétexte à fournir de la ligne à la *Revue de Paris* qui publiera, à partir de 1842, les 600 pages du *Corricolo*.

66 Le corricolo est une espèce de tilbury primitivement destiné à contenir une personne et à être attelé d'un cheval; on l'attelle de deux chevaux et il charrie de douze à quinze personnes. **99**

frissonnante, Caroline, au sortir du théâtre, a vu le speronare se balancer mollement sans arriver à gagner le large. Elle saute dans une barque, rejoint le navire. Un jour et une nuit volés encore à son amant. Joie, joie, pleurs de joie... La brise s'est levée, il faut partir. Caroline regagne sa barque, et regarde s'éloigner son amant qui crie : «Je t'aime, tu es belle ! Tu es belle, je t'aime !» Longtemps les vagues portent sa voix.

Laure, Mélanie, Belle, Marie, Hyacinthe, Ida, Caroline... «Mille êtres», chante Don Giovanni – Dumas papillonne. Il est pourtant fidèle, parmi ses inconstances. Depuis 1834, il connaît l'actrice Ida Ferrier. Ils vivent ensemble depuis 1835. Bien sûr il la trompe. Qu'importe ? Elle n'est pas toute jeune, et elle a une tendance marquée à l'empâtement. Quand en 1837 Dumas fait représenter *Caligula* à la Comédie-Française, le premier rôle féminin est hélas pour elle. «Comment prend-on la profession d'ingénue avec une taille semblable ? Il faudrait au moins être transportable, quand on se destine à être enlevée tous les soirs», écrit Delphine de Girardin, dans sa mansuétude.

Pourtant, en 1840, entre deux infidélités, Alexandre épouse Ida. «Mon cher, aurait-il répondu à un ami qui demandait une explication à cette énigme, c'est pour m'en débarrasser.»

Kean, avant d'être le titre d'une pièce de Dumas, puis de Sartre, est avant tout un comédien anglais (1787-1833), spécialiste du théâtre de Shakespeare. Dumas l'avait vu à Paris à l'aurore du romantisme, quand seuls quelques poètes exaltés (Vigny, Hugo...) s'intéressaient à Shakespeare.

Plus fielleusement encore, le baron de Viel-Castel insinue qu'Ida aurait fait racheter toutes les créances de son prodigue amant, devenant son banquier exclusif : le mariage ou la prison pour dettes...

Peut-être parce que Dumas a besoin d'un foyer — sa mère est morte en 1838 — : en Ida, il s'embourgeoise. Quand ils divorceront, en 1844, le raisonnable sort à jamais de l'environnement de Dumas.

Après la mort de sa mère, Dumas a fui Paris et sa peine. Il visite l'Allemagne, y retrouve Nerval : ensemble ils écrivent *Léo Burckart*, l'un des chefs-d'œuvre du drame romantique. C'est ce même Nerval qui, la même année, présente à Dumas un jeune auteur médiocre, Auguste Maquet, qui va devenir dans la décennie qui suit son «nègre» indispensable.

Un nègre, c'est, en littérature, un adjoint anonyme à la fabrication d'une œuvre. Son rôle va du débroussaillage à la rédaction complète, selon la paresse ou les capacités de l'auteur officiel qui signe. Maquet sera le documentaliste, et le pré-rédacteur. Avec Dumas il bâtit l'intrigue, fournit un premier jet, et Alexandre reforge l'ensemble. C'est qu'il faut aller vite.

Dumas a publié les récits inspirés de son voyage en Suisse dans le journal de Buloz, *la Revue des deux mondes*. C'était son premier vrai contact avec la grande presse : la *Revue* a gagné des abonnés, augmenté son tirage. En 1836, un autre grand journal, *la Presse* publie un récit de Balzac, *la Vieille Fille*. Tous les directeurs de journaux ouvrent leurs colonnes aux feuilletonistes.

En gros, Dumas a produit trois sortes d'œuvres :
– celles qu'il a écrites seul, *Antony* notamment ;
– celles qu'il a écrites «en société», c'est-à-dire en collaboration avouée, au point parfois de passer en seconde position : ainsi *Leo Burckart*, rédigé essentiellement par Gérard de Nerval ;
– celles qu'il a écrites à partir de canevas brodés par tel ou tel de ses collaborateurs (Maquet, par exemple) ou occasionnels (Bocage, Cherville, etc.).
Il faut toutefois remarquer que c'étaient là des pratiques très courantes à l'époque (et qui le sont en grande partie restées). L'étude des brouillons des *Trois Mousquetaires* indique que les notes historiques sont de Maquet, les esquisses de chapitres aussi, mais que la rédaction définitive du récit et les dialogues sont de Dumas : l'un dégrossissait, l'autre créait.

Le XIXe siècle invente les patrons de presse, qui inventent les journaux modernes, qui inventent Dumas tel qu'en lui-même.

Il signe un contrat avec Émile de Girardin, patron de *la Presse*: un franc vingt-cinq la ligne pour le feuilleton.

Sans abandonner le théâtre, Dumas se lance dans le roman. Le premier c'est *le Capitaine Paul*. Pour les enfants, *le Capitaine Pamphile*. Pour les adultes, *les Trois Mousquetaires*.

CHAPITRE IV
VIVE
LES CADENCES
INFERNALES !

Mais comment écrivait-il si vite ? C'était plus qu'un tour de force pour cet homme qui menait une vie mondaine intense et voyageait sans cesse. D'où les multiples rumeurs sur l'utilisation de «nègres».

En 1829, déjà, pour sa *Revue de Paris,* le docteur Véron avait inventé la célèbre formule : «la suite au prochain numéro». Les journaux vivent surtout d'abonnements : le feuilleton à la Dumas, drame saisissant, passion chaude, dialogue vrai, style étincelant, fait gagner des abonnés. Ses fictions sont le type d'information que réclame le bourgeois de la Monarchie de Juillet.

Quand on est Dumas, les nécessités esthétiques prennent à tout coup le pas sur les impératifs familiaux ; aussi a-t-il quelque peu négligé l'éducation de l'autre Alexandre

C'est en 1840, qu'il se souvient qu'il a un fils. Il lui envoie une lettre programme, qui vaut bien celle de Gargantua à son fils Pantagruel :

Vigny, Dumas, Eugène Sue, tous participent à la course au clocher académique. Dumas se présente bravement à l'Académie française, qui le renvoie à ses feuilletons. Elle avait bien, après tout, refusé la première candidature de Victor Hugo. Un obscur rimailleur, académicien vénérable, avait alors déclaré dans un salon : «Eh bien ! on ne pourra pas dire que le premier poète de France, comme vous dites, est à l'Académie !» Ce à quoi une dame répliqua : «Non, mais on est sûr que le dernier s'y trouve...»

«Ta lettre me fait grand plaisir, comme toute lettre où je te vois en bonnes dispositions. Les vers latins qu'on te fait faire, et dont tu me demandes l'utilité, ne sont pas une chose bien importante. Cependant apprends-en la mesure, pour que tu puisses scander la langue et sentir tout ce qu'il y a d'harmonie dans les vers de Virgile et de laisser-aller dans ceux d'Horace. Puis cette habitude de scander la langue te sera utile encore si jamais par hasard tu étais obligé de la parler – en Hongrie par exemple, où le moindre paysan parle latin. Apprends le grec fortement, afin de pouvoir lire Homère, Sophocle, Euripide dans l'original et apprendre le grec moderne en trois mois – enfin exerce-toi bien à prononcer l'allemand, plus tard tu apprendras l'anglais et l'italien. Alors et quand tu sauras tout cela, nous jugerons nous-mêmes, et ensemble, la carrière à laquelle tu es propre.

Alexandre Dumas fils (1824-1895) sera presque plus célèbre que son père, et certainement mieux inspiré dans la gestion de sa gloire. Premier coup d'éclat, en 1848, *la Dame aux camélias,* récit dramatique des amours désespérées d'un jeune homme sentimental et d'une demi-mondaine phtisique. Le roman, reconverti en pièce de théâtre, aura un immense succès, et inspirera à Verdi sa célèbre *Traviata.* Ami de George Sand, Dumas fils orientera son inspiration vers la cause des femmes (1864, *l'Ami des femmes;* 1866, *l'Affaire Clemenceau;* 1867, *les Idées de Madame Aubray*). Il sera reçu par acclamations à l'Académie Française en 1875.

LES ZEUX DURS

«A propos ne néglige pas le dessin. Dis à Charlieu de te donner non seulement Shakespeare, mais encore Dante et Schiller. Puis ne t'en rapporte pas aux vers qu'on te fait faire au collège. Ces vers de professeur ne valent pas le diable. Etudie la Bible à la fois comme livre religieux, historique et poétique – la traduction de Sacy est la meilleure. Cherches-y à travers la traduction, la haute et magnifique poésie qui y est renfermée – dans Saül, dans Joseph. Lis Corneille, apprends-en des morceaux par cœur. Corneille n'est pas toujours poétique, mais il parle toujours une belle langue colorée et concise. Dis à Charpentier de te donner de ma part André Chénier. Charpentier demeure rue de

Le plus souvent les auteurs du XIXe siècle lisaient eux-mêmes leurs œuvres, soit pour se faire applaudir dans une soirée, soit pour les faire «recevoir» par les théâtres où ils les proposaient. Devant toute la troupe, l'auteur jouait tous les rôles, s'efforçant de donner déjà à sa lecture toute la passion qu'il souhaitait voir jouer aux futurs acteurs.

Seine, tu sauras son adresse chez Buloz. Dis à Collin de te faire donner par Hachette quatre volumes intitulés *Rome au siècle d'Auguste.* Lis Hugo et Lamartine – mais seulement les *Méditations* et les *Harmonies* – puis fais toi-même un petit travail des choses que tu trouveras belles et que tu trouveras mauvaises, tu me montreras ce travail à mon retour. Travaille et repose-toi par la variété même de ton travail. Soigne ta santé et sois sage.

«Adieu, mon cher enfant ; je dis à Domange de te donner 20 francs pour tes étrennes.

Je t'embrasse.

«P.S. Dis à Collin qu'aussitôt ma pièce reçue j'écrirai à Buloz pour arranger son entrée.

«Va chez Tresse, prends lui à mon compte : les poésies d'Hugo et son théâtre, le Molière du Panthéon.

Ici, Alexandre Dumas fils lit l'une de ses œuvres, se mettant successivement dans la peau de Marguerite Gautier, la belle courtisane poitrinaire, héroïne de *la Dame aux camélias,* et de son amant, le bel Armand à qui Dumas fils avait prêté bien de lui-même.

«MARGUERITE.
Je ne souffre plus. On dirait que la vie rentre en moi... j'éprouve un bien-être que je n'ai jamais éprouvé... Mais je vais vivre ! Ah ! que je me sens bien !
Elle s'assied et paraît s'assoupir.
GASTON.
Elle dort !
ARMAND, *avec inquiétude, puis avec terreur.*
Marguerite ! Marguerite ! Marguerite !
(Un grand cri. Il est forcé de faire un effort pour arracher sa main de celle de Marguerite.) Ah ! *(Il recule épouvanté.)* Morte ! *(Courant à Gustave.)* Mon Dieu ! mon Dieu ! que vais-je devenir ?...
GUSTAVE, *à Armand.*
Elle t'aimait bien, la pauvre fille !
NICHETTE, *qui s'est agenouillée.*
Dors en paix, Marguerite ! il te sera beaucoup pardonné, parce que tu as beaucoup aimé !»

la Dame aux camélias

«Je te donnerai Lamartine à mon retour.

«Lis Molière beaucoup. C'est un grand modèle de la langue de Louis XIV. Apprends par cœur certains morceaux du *Tartuffe*, des *Femmes savantes* et du *Misanthrope*. On a fait et on fera autre chose, mais on ne fera rien comme style de plus beau que cela. Apprends par cœur le monologue de Charles V d'*Hernani ;* le discours de Saint-Vallier du *Roi s'amuse ;* le monologue du Ve acte de Triboulet ; le discours d'Angelo sur Venise ; le discours de Nangis à Louis XIII dans *Marion Delorme ;* enfin de moi, tu peux aussi apprendre le récit de Stella dans *Caligula* et la chasse au lion d'Yacoub, ainsi que toute la scène du troisième acte, entre le comte, Charles VII et Agnès Sorel. Voilà parmi les anciens et les modernes ce que je te conseille d'étudier surtout. Plus tard, tu passeras des détails à l'ensemble.

«Adieu, tu vois que je te traite en grand garçon et que je te parle raison. Tu vas avoir seize ans au reste...»

Au passage, Dumas oublie dans cette lettre, datée de décembre 1840, que son fils a seize ans depuis six mois déjà...

Le romantique chevelu, à l'approche de la quarantaine, met de l'eau dans son vin esthétique. Les classiques reviennent en force. Les romantiques sont déjà de nouveaux classiques. Et quelle étrange naïveté (ou perversité) de conseiller à un fils d'apprendre par cœur les œuvres de son père...

Douze ans plus tard, le 23 février 1852, la première de *la Dame aux Camélias,* d'Alexandre Dumas *fils,* coïncide douloureusement avec les premiers graves échecs d'Alexandre Dumas *père.*

Déjà, depuis 1848, le fils qui venait de publier *la Dame aux Camélias* en roman était aussi célèbre que son père. Et plus sérieux que son père, dont il dira gentiment : «C'est un grand enfant que j'ai eu quand j'étais tout petit.»

Le succès se confirme dans les années suivantes, surtout à partir de 1860, quand George Sand lui conseille de se pencher sur la condition féminine ; et ce sont les succès toujours grandissant de *l'Ami des femmes* (1864), *l'Affaire Clemenceau* (1866) et les *Idées de Madame Aubray* (1867). Et l'on s'étonne que Dumas père ait pris un coup de vieux dans cette décennie, trop fier des succès de son fils pour pouvoir les lui pardonner.

Les critiques littéraires du siècle dernier s'embarrassaient assez peu de délicatesse et de bonnes manières lorsqu'ils rendaient compte d'un ouvrage. Plus qu'aujourd'hui, on s'intéressait alors aux œuvres pour les «éreinter», et tout était bon pour ce faire : préjugés, attaques personnelles sur la vie publique ou privée des auteurs, insinuations à la limite de la diffamation...

Coup d'Aubert & Cie

CJC

Le XIXᵉ siècle, c'est la révolution industrielle. L'industrie, c'est la machine : pourquoi s'étonner si les chefs-d'œuvre s'écrivent machinalement

Le Capitaine Paul, dont l'inspiration lui est venue entre la Sicile et l'Italie, a donc été, en 1838, le prélude à une avalanche de créations. En 1839, Dumas est encore assez

Dumas fut, au cours de sa vie, attaqué par la critique sur trois fronts. D'abord, il était mulâtre, à une époque où la société française nourrissait toute sorte de préjugés raciaux. Ensuite, il s'était délibérément rangé dans le camp romantico-républicain. Enfin, et c'est sur ce point qu'Alexandre Dumas avait le plus prêté le flanc à la critique, on lui reprochait ses emprunts à d'autres œuvres, ses pillages éventuels, et l'usage immodéré de «nègres», faits qui seuls expliquaient, pour une critique mal intentionnée, son extraordinaire fécondité.

tourné vers le théâtre pour lui donner *Mademoiselle de Belle-Isle* (son plus grand succès : plus de quatre cents représentations de 1839 à 1884).

En 1840, cinq romans, dont *John Davys,* et le *Capitaine Pamphile,* «pour les enfants». Puis il part pour Florence, où, pendant deux ans, il jouit de l'Italie plus qu'elle ne l'inspire. Il en profite pour visiter la Corse, Kamchatka des voyages romantiques, l'île d'Elbe, où se lisent encore les traces de pas de l'Empereur, et une petite île inhabitée, plus au sud, qu'on nomme Monte-Cristo... En septembre 1842, il est de retour à Paris, et se remet au travail. Il avait du talent, il va faire dans le génie. Sa plume dévorait déjà le papier, elle va le brûler. Les œuvres pour lesquelles on le connaît le mieux, qui font peut-être de Dumas l'écrivain français le plus connu au monde, naissent ici.

Quelques préludes encore, légère brise avant l'orage : en 1843, *le Château d'Eppstein, Georges, le Chevalier d'Harmenthal, Ascanio.* En 1844, six romans en six mois : *Amaury, Sylvandire, les Trois Mousquetaires, Cécile, Gabriel Lambert* et *Fernande.* Et le début du *Comte de Monte-Cristo.*

L'aide de Maquet lui est précieuse. Dumas écrit, Maquet collecte les renseignements, bâtit des plans de chapitres. Les feuilletons s'écrivent au jour le jour. Maquet guette la copie, et court la porter à l'imprimerie du journal.

Le succès va au succès. Dumas a la même intuition que Balzac : celui-ci fait *la Comédie humaine,* Dumas fera la comédie historique. Mêmes effets de suite, mêmes retours de personnages. Les Mousquetaires reviennent en 1845 dans *Vingt ans après,* et en 1848 dans *le Vicomte de Bragelonne.* D'autres personnages, plus mineurs, unifient de même *la Reine Margot* (1845), *la Dame de Monsoreau* (1846), *Les Deux Diane* (1846)

Problème d'arithmétique : comment trois mousquetaires, qui sont en fait quatre, arrivent à ne faire qu'un ? Leur célèbre devise «Un pour tous, tous pour un» doit se comprendre presque littéralement : chacun des quatre n'est qu'un visage de leur commun créateur. D'Artagnan, c'est l'habileté, le provincial monté à Paris pour faire carrière, comme Dumas ; Athos, le rêve aristocratique du petit-fils du marquis Antoine-Alexandre Davy de la Pailleterie ; Aramis, lui, symbolise le goût très prononcé de Dumas pour les sociétés secrètes en tout genre ; quant à Porthos, c'est le gigantisme incarné, le reflet direct d'un auteur qui comme son père mesurait près de deux mètres.

et *les Quarante-Cinq* (1848). Ou encore *Joseph Balsamo* (1846), *le Collier de la reine* (1849) et *Ange Pitou* (1853).

Et si le XIXᵉ siècle industriel fait des affaires, pourquoi se scandaliser quand la machine à livres fait aussi de l'argent ?

Et l'argent ? Dumas propose à Émile de Girardin, le directeur de *la Presse,* à 80 centimes la ligne, 5626 lignes par volume, 20 volumes. C'est un lot, c'est une affaire : 52 000 francs-or. On tergiverse. Girardin s'associe avec le Dr Véron, qui remet à flots *le Constitutionnel.* Bref, 18 volumes, à 3 500 francs le volume, soit 63 000 francs, plus 45 000 de l'édition pour cabinets de lecture, plus 36 000 de l'exploitation à l'étranger.

V rai ou faux, ce portrait d'Alexandre Dumas est attribué à Daumier, le caricaturiste qui savait, à l'occasion, être un excellent peintre.

Beaumarchais a eu bien raison de faire entrer la notion de propriété littéraire (et donc de droits d'auteur) dans la législation française de 1792. Mais après tout, le ministre Guizot n'a-t-il pas lancé, comme mot d'ordre : «Enrichissez-vous» ?

«Fabrique de romans, maison Alexandre Dumas et Cie» c'est sous ce titre qu'en février 1845 un certain Eugène de Mirecourt attaque Dumas. Non content d'exprimer sa suspicion quant à l'authenticité des œuvres de Dumas, il se livre à une attaque en règle du personnage :

«Le physique de M. Dumas est assez connu : stature de tambour-major, membres d'Hercule dans toute l'extension possible, lèvres saillantes, nez africain, tête crépue, visage bronzé. Son origine est écrite d'un bout à l'autre de sa personne ; mais elle se révèle beaucoup plus encore dans son caractère.

«Grattez l'écorce de M. Dumas et vous trouverez le sauvage.

«Il tient du nègre et du marquis tout ensemble. Cependant, le marquis ne va guère au-delà de l'épiderme. Effacez un peu le fard, déchirez un costume débraillé, ne faites pas le moindre cas de certaines façons régence, ayez l'air d'être sourd à un langage de ruelle, aiguillonnez un point quelconque de la surface civilisée, bientôt le nègre vous montrera les dents.

«Le marquis joue son rôle en public, le nègre se trahit dans l'intimité.

«M. Dumas jette l'or par les fenêtres ; il courtise la brune et la blonde. Il effleure la passion, se moque de la constance et rend ses *captives* aux douceurs de la liberté,

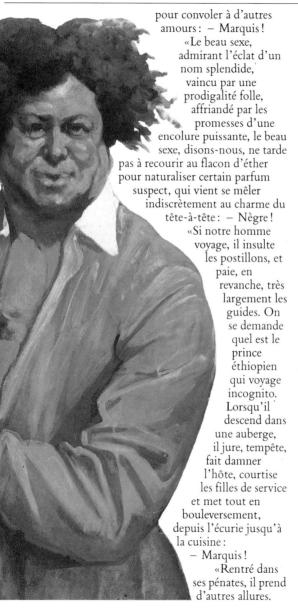

pour convoler à d'autres amours : – Marquis !

«Le beau sexe, admirant l'éclat d'un nom splendide, vaincu par une prodigalité folle, affriandé par les promesses d'une encolure puissante, le beau sexe, disons-nous, ne tarde pas à recourir au flacon d'éther pour naturaliser certain parfum suspect, qui vient se mêler indiscrètement au charme du tête-à-tête : – Nègre !

«Si notre homme voyage, il insulte les postillons, et paie, en revanche, très largement les guides. On se demande quel est le prince éthiopien qui voyage incognito. Lorsqu'il descend dans une auberge, il jure, tempête, fait damner l'hôte, courtise les filles de service et met tout en bouleversement, depuis l'écurie jusqu'à la cuisine : – Marquis !

«Rentré dans ses pénates, il prend d'autres allures.

66 M. Alexandre Dumas appartient à la race africaine d'Haïti. Son père, qui avait su mériter par sa bravoure à toute épreuve le glorieux surnom d'Horatius Coclès de l'Empire, sentait couler dans ses veines soixante-quatre parties de sang européen et autant de sang nègre. M. Dumas, notre ingénieux écrivain ne relève plus de Saint-Domingue que pour trente-deux parties de sa personne physique et morale, tandis qu'il en doit quatre-vingt-seize à l'élément gaulois ou franc ; il est quarteron. Son fils ne tient plus à Haïti que pour seize de ces parties, il est métis, et si lui-même, par voie de génération, perpétue sa race dans notre monde européen, ce dernier rejeton, en sa qualité de mamelouk, ne devra plus à la Nigritie que huit parties de son être. 99
Alexandre Bonneau,
*Les Noirs, les Jaunes
et la Littérature française
en Haïti*

Ses vêtements le gênent, il les dépouille et travaille dans le négligé pittoresque de notre premier père. Il s'étend sur le carreau, comme un chien de Terre-Neuve; il déjeune, en tirant de la cendre du foyer des pommes de terre brûlantes, qu'il dévore sans ôter la pelure: – Nègre!

«Il court après les honneurs, il recherche les distinctions. On l'a vu gratter doucement à la porte des palais et se prosterner dans les environs du trône: – Marquis!

«Comme ces chefs de tribus indiennes, que les voyageurs savent amadouer avec des babioles, M. Dumas aime tout ce qui brille, tout ce qui chatoie. Il a des rubans de tous les ordres, des crachats de tous les pays; il met ses décorations à la brochette. Les joujoux le séduisent, les franfreluches lui tournent le cerveau: – Nègre!»

L'attaque est odieuse, et Mirecourt est condamné pour diffamation, le 16 mai 1845. Dès 1844, dès les premières insinuations de Mirecourt, Dumas avait dressé devant le Comité des gens de lettres la liste de ses travaux et de ceux de Maquet. Nous savons bien, nous, quelles étaient leurs fonctions respectives: la documentation et parfois le bâti pour l'un, le style pour l'autre. Il n'en reste pas moins que, juridiquement, ils sont tous deux auteurs. Des procédures et des chicanes se dessinent à l'horizon. Dumas gagne beaucoup d'argent, et le dépense si vite et si ostensiblement qu'on s'imagine qu'il en gagne plus encore. Qu'il en gagne trop.

Dumas a de l'argent, alors il le dépense. Et quel meilleur moyen que de devenir propriétaire, cette ambition commune à tout un siècle qui assimile avoir et être? Propriétaire de quoi? D'un château, et d'un théâtre. L'instinct de propriété, c'est l'instinct raisonnable. Le château, le théâtre, c'est la raison broyée entre rêve et folie.

Dumas n'est pas indifférent aux honneurs et aux décorations. En mai 1849, il est nommé commandeur de l'ordre royal du Lion néerlandais; ses ennemis en ricanent, et les caricatures vont bon train...

Quand un artiste instable essaie de s'installer, il en fait toujours trop. Dumas n'habite pas des nids, mais des gouffres. Des gouffres financiers, bien sûr

Dumas se loge en 1843 à Saint-Germain-en-Laye. Louis XIV y est né, Dumas peut bien y vivre. Il y tient table ouverte à tout venant (Saint-Germain est depuis peu relié à Paris par le rail). D'ailleurs, il baigne dans l'Histoire, sa maison s'appelle la Villa Médicis.

C'est le 25 juillet 1847 que l'on pend la crémaillère de la nouvelle demeure de Dumas à Saint-Germain. Voilà des mois que les décorateurs s'ingénient à réinventer la notion de luxe. Depuis que Delacroix avait rapporté d'Afrique du Nord ses premières esquisses de femmes et de lions, la mode arabisante s'est imposée : Dumas a donc fait venir le décorateur du bey de Tunis, qui dessine en stuc sur les murs et sur les plafonds d'innombrables arabesques. Dumas est, pour le moment, riche : il tient à ce que ça se sache, il veut que ça se voie.

Les invités sont souvent gens de théâtre. Avec eux, on investit celui de la petite bourgade, et on s'y donne des représentations. En 1844, Dumas bâtit, toujours à Saint-Germain, le château qu'il appellera Monte-Cristo, sans se douter, le malheureux, que c'est dans ce mont des Oliviers auquel fait référence Monte-Cristo que fut creusé le sépulcre du Christ.

Bien sûr, Monte-Cristo c'est pour les jours de fête. Autrement, Dumas a son appartement à Paris. Il en change d'ailleurs souvent, dès qu'un lieu devient trop familier, lui évoque trop de souvenirs – plaisants ou tristes : il est assez sentimental pour ne rien conserver.

En 1846, apothéose de sa carrière dramatique, lui qui a si souvent couru les théâtres, quand il était jeune, pour placer ses pièces, il fait construire un théâtre, baptisé

Le château de Monte-Cristo appartient au «style composite» : c'est un mélange de style Renaissance, de style rococo (Louis XV) et de style gothique (surtout pour ce pavillon où Dumas avait son bureau), cher aux romantiques.

Théâtre-Historique. On n'est jamais si bien servi... On y jouera non seulement du Maquet-Dumas, mais du Shakespeare, du Goethe, du Schiller et du Calderon. Dumas dit lui-même que ce théâtre «serait plus justement nommé Théâtre-Européen». Dumas, c'est l'Entente cordiale à lui tout seul.

Entre 1825, où Dumas, grand garçon longiligne, même un peu efflanqué, cultivait sa maigreur pour rester dans le bon ton, et 1848, la mode a changé. Les romantiques, exaltés maigrichons, sont devenus des bourgeois respectables. La mode a viré au dodu : les ventres replets tendent des gilets de satin, d'énormes chaînes d'or rehaussent les tissus nacrés et soulignent la rotondité des estomacs. Delacroix, nature nerveuse, restera toute sa vie atypique. Dumas, à grands coups de petits repas fins, est doucement passé de l'échalas à la barrique.

aller à Paris.

«Je laissais toujours s'avancer les trois chevreuils.

Enfin, à trente pas de mo à peu près, ils s'arrêtren court et écoutant, admirablement placés : deux croisaient leurs cou fins et élégants, regardan l'un à droite, l'autre à gauche ; le troisième se tenait un peu en arrière, caché par les deux premiers.

J'envoyai un coup de fusi aux deux premiers, qui roulèrent sur le coup. Le troisième sauta le fossé mais pas si vite, que je n'eusse le temps de lui envoyer mon second coup…»

Mes Mémoire

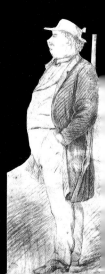

Les plaisirs d'un écrivain : la table

Après la chasse, la table. Ce n'est pas un hasard si l'ultime œuvre de Dumas, que devait d'ailleurs achever un tout jeune écrivain nommé Anatole France, est un monumental *Dictionnaire de cuisine*.

« *Oie à la chipolata.* Prenez un bel oison d'une graisse bien blanche, videz-le, retournez-lui les pattes en dedans, flambez-le légèrement, épluchez-le, bridez-le, bardez et ficelez-le ; foncez une braisière de bardes de lard, mettez dans le fond une mirepoix et quelques débris de viande de boucherie, deux lames de jambon, les abatis de votre oison, un bouquet de persil et ciboules, trois carottes tournées, deux ou trois oignons, dont un piqué de clous de girofle ; une gousse d'ail, du thym, du laurier, un peu de basilic et du sel. Posez votre oie sur ce fond, mouillez avec un bon verre de Madère, une bouteille de vin blanc, cognac, une cuillerée de consommé de volaille ; mettez sur le fourneau, faites suer la braise de votre oie... »

Et non seulement l'Europe, mais la France aussi.
Puisque Molière, Racine et Corneille sont par
monopole enterrés à la Comédie-Française, on
programme Hugo, bien sûr, et Musset, Vigny et
même Balzac, qui en rêvait et dont on joue *la
Marâtre* en 1848. Dumas a un sens profond
de l'amitié. Il aime Hugo, une fois pour toutes,
même si Victor, plus ambitieux que généreux
dans sa jeunesse, n'a pas toujours été à son
égard d'une correction exemplaire : jalousie
d'auteur… Il se rappelle Vigny rattrapant les
bâclages les plus bruyants de *Christine,*
– sans voir, ou vouloir voir que Vigny
s'éloigne de tous, par misanthropie, et
qu'il le haît presque, lui, Dumas, à cause
de Marie Dorval.

Enfin, et parce qu'il se souvient sans
cesse qu'il a battu le pavé quand il était
jeune, il monte des œuvres de

débutants : un *Atala* de son fils Alexandre, et une curieuse piécette, *les Pailles rompues,* signée d'un tout jeune homme qui s'appelle Jules Verne.

L'activité du Théâtre-Historique est intense. Pour récompense, en octobre 1850, il est déclaré en faillite. De graves ennuis commencent, à l'orée du Second Empire.

Quand on lit les *Mémoires* de Dumas, qui ne couvrent pourtant sa vie que jusqu'à 1832, on est frappé par l'insistance avec laquelle Dumas note : Untel, qui est mort depuis...

Présence de la mort. Il est vrai qu'en ce XIXᵉ siècle, on continue à mourir jeune. Moins que dans les siècles précédents, certes. Mais on meurt de phtisie, la maladie à la mode que convoitait Alexandre jeune, dans son dandysme morbide. Les femmes meurent très souvent en couches, d'hémorragies mal jugulées, de septicémies provoquées par les accoucheurs, qui pratiquaient les autopsies des morts de la veille avant de procéder à l'accouchement des parturientes du jour. On se suicide

Sur le boulevard du Temple, dans l'est de Paris, une multitude de théâtres programment des mélodrames et des pièces noires, d'où son surnom de «boulevard du crime». Dumas y a son Théâtre-Historique, reconnaissable à sa grande loge, à l'extrême gauche du tableau.

Théâtres, cirques et cafés vont disparaître en 1862 : en effet, le baron Haussmann, dans un souci d'ordre et d'organisation, rase tout le boulevard. Les auteurs n'auront plus qu'à faire jouer leurs pièces à l'ouest, entre la République et l'Opéra.

aussi beaucoup : le mal du siècle, le mal de vivre tue aussi sûrement les fils que les guerres des pères.

Dumas sent la mort autour de lui. En 1849, il publie *les Mille et un fantômes,* recueil de nouvelles dans la plus pure tradition du romantisme noir. Et en préface, dans *le Constitutionnel* du 2 mai 1849, il écrit :

« Moi, je vais comme les autres ; moi, je suis le mouvement. Dieu me garde de prêcher l'immobilité ! L'immobilité, c'est la mort. Mais je vais comme un de ces hommes dont parle Dante, dont les pieds marchent en avant, c'est vrai, mais dont la tête est tournée du côté de leurs talons. Et ce que je cherche surtout, ce que je regrette avant tout, ce que mon regard rétrospectif cherche dans le passé, c'est la société qui s'en va, qui s'évapore ; qui disparaît comme un de ces fantômes dont je vais vous raconter l'histoire. »

Où l'une des plus grandes actrices du siècle meurt seule, désespérée, abandonnée, sans même assez d'argent pour ne pas finir à la fosse commune

Le 20 mai 1849, Dumas est à la Comédie-Française, où l'on répète un drame signé Jules Lacroix, mais rédigé aux trois quarts par notre auteur. Un garçon du théâtre s'approche de lui :

— Mme Dorval vous envoie chercher : elle se meurt, et ne veut pas mourir sans vous revoir.

Dorval, c'est l'ancienne maîtresse de Vigny – et d'Alexandre, celle qui a fait triompher, avec le rôle d'Adèle, l'*Antony* de 1831, à la Porte-Saint-Martin. Elle avait trente-trois ans, elle en a cinquante et un. Elle a été la *Marion Delorme* de Hugo, la même année, dans le même théâtre de la Porte-Saint-Martin...

Elle a perdu son fils unique, le petit Georges. Depuis, elle va lui fredonner des chansons sur sa tombe...

— Ah ! c'est toi, je savais que tu viendrais.

C'est elle la mourante, et c'est lui qui ne trouve pas la force de répondre, lui qui rassemble toute son énergie pour ne pas pleurer.

— Eh ! mon Alexandre, tu sais bien que depuis la mort de mon petit

À peine plus âgée que Dumas (elle était née en 1798), Marie Dorval, de son vrai nom Marie Delaunay, fut la grande interprète du drame romantique. Après *Antony,* ce fut *Marion Delorme,* de Hugo, en 1831, puis *Chatterton,* de Vigny, en 1835. C'est pour celle qui était sa maîtresse depuis trois ans que le poète avait écrit le rôle de Kitty Bell, et c'est pour elle qu'après leur rupture, en 1838, il écrivit les plus beaux vers de *la Colère de Samson* (1839) et quelques nostalgiques pages du *Journal d'un poète,* publié après sa mort en 1867.

Georges, je n'attendais qu'un prétexte. Le prétexte est venu, et, comme tu vois, je ne l'ai pas laissé échapper.

Ce n'est pas de mourir qu'elle a peur, c'est de la fosse commune. Elle ne joue plus, elle n'a plus d'argent. Le temps n'est pas si loin où l'on devait enterrer Molière de nuit, car l'Église ne tolérait pas de comédiens en terre sacrée. Comédien, en grec ancien, se disait aussi diable. Une comédienne, c'est Satan au carré.

Alexandre promet. Il se chargera de tout. Il se penche sur ce presque cadavre, et elle pose ses lèvres froides sur son front. Peu après, dans son dernier souffle, Dumas croit deviner : «Sublime...»

Au bout de deux ans, c'en est bien fini de la belle maison, du rêve oriental qu'a représenté Monte-Cristo. Vendu aux enchères, le palais des mille et une nuits ! Longtemps abandonné, il est aujourd'hui ressuscité. On peut le visiter tous les dimanches, à Port-Marly.

Mais il n'a pas d'argent, il est lui-même en faillite. Le voilà, à quarante-sept ans, refaisant le tour des amis, quêtant de quoi bâtir un tombeau à Dorval. Dans le fond de ses tiroirs, il a encore déniché 200 francs, 100 de plus en mettant en gage une décoration. Un ministre, à titre privé, lui a donné 100 francs. Hugo a mendié 200 francs au ministre de l'Intérieur : la somme nécessaire est réunie. Le jour de l'enterrement, on pousse Alexandre à dire un mot sur la tombe ouverte. Il ne peut pas parler, il pleure : un géant en habit noir, le visage enfoui dans ses mains, les épaules secouées de sanglots. Il se penche, prend une fleur sur une couronne, la porte à ses lèvres. L'immobilité c'est la mort, disait-il. Et le silence ?

En 1848, c'est plus un haussement d'épaules qu'une vraie révolution qui chasse Louis-Philippe pour installer enfin une république – la deuxième. Et voilà que le président que cette république se donne est un prince, Louis-Napoléon, le neveu de l'«autre». Dans la nuit du 1er au 2 décembre 1851, Louis-Napoléon se lance dans un coup d'État : le second Empire vient de commencer.

CHAPITRE V

TOUJOURS PLUS

Symbole de la chute de la monarchie de Juillet : le 24 février 1848 le trône de Louis-Philippe est transporté par le peuple des Tuileries à la Bastille. La deuxième République, époque bénie par Dumas et ses amis, passera comme un souffle : trois ans seulement.

Le 3 décembre 1851, Dumas écrit à son ami Bocage : «Aujourd'hui, à six heures, 25 000 francs ont été promis à celui qui arrêterait ou tuerait Hugo. Vous savez où il est. Que sous aucun prétexte il ne sorte.»

Hugo fuit en Belgique, sous un faux nom. Dumas, peu partisan du nouveau régime, criblé de dettes, soumis à de multiples règlements judiciaires, le suit un semaine plus tard.

Un plébiscite, en France, approuve Napoléon III. Sur le fronton des édifices publics, on efface la devise de la république (liberté-égalité-fraternité), et on la remplace par des aigles impériaux.

À Bruxelles, Dumas et Hugo hantent les banquets républicains. On parle haut, on complote tout bas. Hugo va bientôt se réfugier à Jersey, dans les îles Anglo-Normandes. Dumas se sent de plus en plus de l'autre côté de sa jeunesse. D'ailleurs, fait significatif, il commence ses *Mémoires.*

Hugo se lance frénétiquement dans la rédaction vengeresse des *Châtiments,* qui stigmatisent celui qu'il appelle «Napoléon le Petit», ultime dérision, au-delà de la tombe, du premier empereur.

Dumas décroche un nouveau succès à la scène, un *Benvenuto Cellini* adaptant les meilleurs passages de son

Réfugié à Anvers en 1852, Hugo doit quitter la Belgique pour Jersey où, seul sur son rocher, il combattra l'Empire.

66 Frères proscrits, amis belges, (...) Qu'importe ce qui m'arrive ! J'ai été exilé de France pour avoir combattu le guet-apens de décembre et m'être colleté avec la trahison ; je suis exilé de Belgique pour avoir fait *Napoléon le Petit.* Eh bien ! je suis banni deux fois, voilà tout. M. Bonaparte m'a traqué à Paris, il me traque à Bruxelles ; le crime se défend ; c'est tout simple. (...). Certes, je souffre de vous quitter, mais est-ce que nous ne sommes pas faits pour souffrir ? Mon cœur saigne : laissons-le saigner. 99

Victor Hugo, à Anvers, le 1er août 1852.

66 Louis-Napoléon a dix mille canons et cinq cent mille soldats ; l'écrivain a sa plume et son encrier. L'écrivain n'est rien, c'est un grain de poussière, c'est une ombre, c'est un exilé sans asile, c'est un vagabond sans passeport, mais il a à ses côtés et combattant avec lui deux puissances, le Droit, qui est invincible, et la Vérité, qui est immortelle. 99

Victor Hugo, *Histoire d'un crime*

vieux roman d'*Ascanio*. Il obtient un sauf-conduit pour
assister au triomphe : le voilà à Paris. Et l'idée germe.
Pourquoi ne pas réaliser une gigantesque épopée en prose,
dont le héros serait ce juif errant, hérité de Goethe,
remanié par bien des romantiques, par l'historien Edgar
Quinet, par Eugène Sue ?... Ce juif errant, symbole d'une
humanité en quête de Bien et en proie au Mal, s'appelle
Ahasverus ou Isaac Laquedem :

**Dieu avait dicté la Bible, Balzac a rédigé la
Comédie humaine, Dumas projette l'histoire de
l'humanité : c'est la spirale des ambitions**

«Que diriez-vous d'un immense roman en huit volumes
du *Pays* qui commencerait à Jésus-Christ et qui finirait
avec le dernier homme de la création, donnant cinq
romans différents, un sous *Néron,* un sous *Charlemagne,* un
sous *Charles IX,* un sous *Napoléon,* un *l'avenir ?* Je compte
faire ce roman entièrement composé dans ma tête pour une
revue, attendu que le feuilleton coupe trop l'intérêt mais
en faisant des feuilletons plus longs, on arriverait au même
résultat (...).

«Les héros principaux sont le Juif errant, Jésus-
Christ, Cléopâtre, les Parques, Prométhée, Néron,
Poppée, Narcisse, Octavie, Charlemagne, Roland,
Vitikind, Velléda, le pape Grégoire VII, le roi
Charles IX, Catherine de Médicis, le cardinal de Lorraine,
Napoléon, Marie-Louise, Talleyrand, le Messie et l'Ange du
Calice. Ceci vous paraît fou, mais demandez à Alexandre qui
connaît l'ouvrage d'un bout à l'autre ce qu'il en pense.»

C'est ce que Dumas écrit à l'un de ses amis le 16 mars
1852. Ce sera «l'œuvre capitale de sa vie». C'est aussi une
œuvre limite. «Pendant cette gestation de vingt ans dans
mon cerveau, il est tellement venu à maturité que je n'ai
plus qu'à cueillir le fruit de l'arbre de mon imagination
(...) Je ne compose plus, je me dicte.» Comme dira plus
tard Edmond Rostand dans *Cyrano de Bergerac,* «en
mettant son âme à côté du papier, il n'a tout simplement
qu'à la recopier».

Le public suit mal. Mais surtout l'Église s'inquiète.
Le Constitutionnel suspend la publication d'*Isaac Laquedem*.
Dumas, coupé dans son élan, ne reprendra plus son œuvre.
Serait-il seul à avoir la tête épique ? Puisque le grandiose ne
passe pas sur le papier, il ne lui reste qu'à aller le quérir là
où il est : ailleurs.

Les ennuis avec la censure continuent et s'aggravent. Dumas vient d'écrire, en août 1853, une nouvelle pièce, *la Jeunesse de Louis XIV*. Elle en est aux répétitions ultimes, quand le pouvoir, qui craint qu'on y devine des allusions trop transparentes à la situation politique présente, l'interdit.

Que faire? Le théâtre compte sur une pièce. Qu'à cela ne tienne. En trois jours et demi, Dumas en écrit une autre, *la Jeunesse de Louis XV*. Les comédiens se regardent stupéfaits. Ce n'est plus un tour de force, cela tient du prodige. Mais à nouveau la censure interdira la pièce. Les *Mémoires* qui paraissaient en feuilleton sont à leur tour bloquées: Dumas y affichait, avec l'instinct enfantin de provocation qui le caractérise, trop d'amitié pour Hugo et pour les républicains en général.

La censure, Napoléon Ier l'avait déjà rétablie par décret le 5 février 1810 sur toutes les productions de la presse. Il devait d'ailleurs, dans un ultime élan démagogique, abolir ce décret en 1815. Sous la Restauration, Louis XVIII permet de publier «en se conformant aux lois qui doivent réprimer les abus de cette liberté». Le carcan n'étant pas assez serré, Charles X tente d'imposer, en 1830, une censure plus clairement dépendante du bon plaisir du roi. La révolution de 1830 y met bon ordre. Dorénavant, «la censure ne pourra jamais être rétablie». Les ouvrages ne pourront être saisis qu'après publication, sur décision de justice: l'auto-censure préalable veille seule aux excès. Dès sa prise de pouvoir en 1852, Napoléon III rétablit la censure. Outre la presse, c'est le théâtre qui sera toujours le plus durement touché à une époque où n'existaient ni radio ni télévision, c'était le seul lieu où les idées passaient en direct.

Caricature, mais en même temps hommage à la fantastique fécondité d'Alexandre Dumas, cette illustration porte en légende: «La nouvelle nourrice du Théâtre-Français élève les enfants en cinq jours – brevetée mais sans garantie du gouvernement.»

Lundi 20 Mars 1854.　　　Prix du numéro du jour, 10 c.　Un numéro ancien, 20 c.　　　N° 119.

LE MOUSQUETAIRE

PRIX
DE
L'ABONNEMENT.
Paris :

3 mois, 9 fr.
6 mois, 12 »
1 an.. 36 »

JOURNAL DE M. ALEXANDRE DUMAS.

La traduction est interdite. — Les manuscrits non insérés ne sont pas rendus (ils sont brûlés).

PRIX
DE
L'ABONNEMENT.
Départements.

3 mois, 12 fr.
6 mois, 24 »
1 an.. 48 »

Pour faire un journal, il suffit d'avoir du papier. Les journalistes ne servent à rien, quand le rédacteur en chef tient tous les rôles

Puisque Girardin, effrayé, ne veut plus de sa prose dans *le Constitutionnel,* Dumas va fonder son journal, *le Mousquetaire.* Le titre le dit bien. Du «Tous pour un, un pour tous» des quatre mousquetaires du roman, on passe à «Tous en un». L'ami secrétaire de Dumas, Noël Parfait,

écrit avec lucidité : «Girardin reçut l'avertissement officieux de suspendre la publication des *Mémoires.* Dumas, furieux, se monta la tête. On avait beaucoup parlé de son tour de force littéraire, et ce bruit fait autour de sa personne l'avait déjà grisé. Il crut épouvanter ses ennemis hauts et bas en fondant un journal où il aurait constamment la parole : il trouva je ne sais quel bailleur de fonds, et *le Mousquetaire* fut créé ! *Le Mousquetaire*… Enfin ! Le 20 novembre dernier vit l'apparition de cette feuille, qui n'épouvanta personne, dont personne même ne paraît s'occuper, et qui ne restera, si elle reste,

que comme le plus incroyable monument de l'égotisme et de la personnalité !» (23 décembre 1853).

Très vite, Dumas est l'unique rédacteur de ce journal qui durera tout de même jusqu'en 1857. «Vous me

Le Mousquetaire parut chaque soir du 12 novembre 1853 au 7 février 1857. Dumas y publie ses *Mémoires.* Dès le 23 avril de cette même année, il réitère et crée *le Monte-Cristo,* qu'il rédige seul jusqu'au 10 mai 1860. Il tentera de le relancer encore en 1862, du 1er janvier au 10 octobre. Au printemps 1866, il devient directeur littéraire du journal de Jules Noriac, *les Nouvelles,* puis en devient le rédacteur en chef et le rebaptise, comme de bien entendu, *le Mousquetaire* (18 novembre 1866). Il tiendra jusqu'au 25 avril 1867. Enfin, le 4 février 1868, il fait paraître un tri-hebdomadaire (jusqu'au 4 juillet 1868) qu'il nomme, bien sûr, *le Dartagnan.* Le 5 juillet, il transforme le titre en *Théâtre-Journal,* hebdomadaire qui paraîtra jusqu'au 14 mars 1869.

Les lecteurs attendent avec impatience leur journal ou leur feuilleton préféré. Ces deux caricatures de Nadar sont ainsi légendées : «Les marchands de *la Presse* les jours où le feuilleton contient les *Mémoires* de Dumas ; les mêmes les jours du feuilleton de M. Limayrac.»

demandez mon avis sur votre journal, lui écrit Lamartine. J'en ai sur les choses humaines ; je n'en ai pas sur les miracles. Vous êtes surhumain. Mon avis sur vous est un point d'exclamation. On avait cherché le mouvement perpétuel, vous avez créé l'étonnement perpétuel. » Et Hugo lui répond : «Je lis votre journal. Vous nous rendez Voltaire. Suprême consolation pour la France humiliée et muette. »

Cent quatorze ans avant Mai 1968, la Sorbonne envahit l'Odéon, dont Dumas a ouvert les portes

Le 4 novembre 1854, à l'Odéon. Soir de première : on joue *la Conscience,* drame en six actes de Dumas – quelque peu inspiré de l'allemand, à vrai dire. Sous les arcades du théâtre, des étudiants errent, trop pauvres pour entrer, un livre à la main, lisant dans la nuit en humant le fumet de succès qui monte de la salle. Un géant, à la corpulence si caractéristique, passe. «Vive Dumas», crient les jeunes gens. «Mais que faites-vous là, dans la rue ? Allez donc applaudir dans la salle ! Mais... Pas le sou ? Le théâtre devrait être gratuit pour la jeunesse.» Et de faire libéralement ouvrir les portes de l'Odéon, que les étudiants, ravis et émus, envahissent.

Les romans s'enchaînent aux romans : *les Mohicans de Paris* (1854-55), *Salvator* (1855), *les Compagnons de Jéhu* (1857)... En 1858, *le Mousquetaire* fait faillite. Deux mois plus tard, il lance un nouveau journal, *le Monte-Cristo.* Dumas s'accroche désespérément à ses plus belles bouées.

Auguste Maquet, le compagnon de tant d'œuvres, l'attaque en justice pour des comptes en retard et pour «recouvrer sa propriété» sur les livres écrits en commun. Le passé s'effiloche vilainement. Le tribunal statue en janvier 1859 : Maquet touchera désormais 25 % des droits d'auteurs.

Des milliers de kilomètres, ou plutôt des milliers de verstes. Dumas ajoute l'ethnographie à ses divers talents

Le 11 juin, profitant d'une invitation, Dumas part pour la Russie. Des noms qui chantent : Saint-Pétersbourg, la Néva et le lac Ladoga, Moscou, la Moscowa, Troïtza, Jelpatievo,

Depuis que le marquis Astolphe de Custine avait fait paraître ses *Lettres de Russie* en 1839, l'empire des Tsars, dont les Français avaient conservé un piètre souvenir depuis que les armées napoléoniennes y avaient mordu la neige, était revenu à la mode. Mérimée avait fait connaître l'écrivain Tourgueniev, Balzac y alla prendre femme et, bientôt, Jules Verne devait y situer l'action de l'un de ses plus grands succès, *Michel Strogoff* (1876). Dumas y séjourne du 21 juin 1858 (Saint-Pétersbourg) au 16 février 1859 (Trébizonde).

Kallasine et la Volga, Nijni-Novgorod, Kazan, Astrakan, Saratov, Tzanitzine, le Caucase, Kirlan, Derbent, Bakou, Tiflis, Poti et enfin Trébizonde. Dix mois de voyage. Il mange du cheval cru haché — le fameux steak tartare — et boit de «l'eau-de-vie de lait de jument»: Pouah! commente-t-il. Hospitalité royale chez les Kalmouks:

«Enfin après le déjeuner j'ai pris congé du prince Tumaine en frottant mon nez contre le sien, ce qui est une façon de se dire en kalmouk: ''A toi pour la vie'', et de la princesse en improvisant ce chef-d'œuvre:

> Dieu de chaque royaume a tracé les frontières
> Ici c'est la montagne et là c'est la rivière
> Mais à vous le Seigneur donna dans sa bonté
> La steppe sans limite où l'homme enfin respire
> Afin que sous vos lois vous ayez un empire
> Digne de votre grâce et de votre bonté.

«Tu comprends que quand ces vers ont été traduits en kalmouk, la sœur de la princesse, Groucha (Agrippine, traduction libre), a voulu avoir son madrigal. Je lui ai immédiatement moulu celui-ci:

> Dieu de chaque mortel règle la destinée.
> Au milieu du désert un jour vous êtes née
> Avec vos dents d'ivoire et votre œil enchanteur
> Afin qu'ait sur ses bords la Volga fortunée
> En son sable une perle, en sa steppe une fleur.

«Tout cela a été reçu avec des sourires qui n'avaient pas besoin d'être de Paris, je t'assure, pour avoir leur valeur.

D ans la géographie de l'imagination, les grandes conquêtes du XVIᵉ siècle avaient inventé le Pérou «Ce n'est pas le Pérou» dit-on encore d'un but accessible. Les romantiques popularisent le Kamchatka, dans l'extrême est de la Russie. La steppe russe devient vers 1840-1850 l'image d'Épinal du dépaysement. Souvenir sans doute de la campagne de Russie de 1813, intérêt tout neuf pour la littérature russe (Tourgueniev, Lermontov, Gogol, etc.). Dumas, en voyage, prend des allures de Russe, vit comme un Russe.

«Enfin, comme disait le roi Dagobert à son chien, il n'y a si bonne compagnie qu'il ne faille quitter. Il fallut quitter le prince kalmouk, la princesse kalmouk, la sœur kalmouk, les dames d'honneur kalmouk. J'essayai de frotter mon nez avec celui de la princesse, mais on me prévint que cette politesse ne se faisait qu'entre hommes. J'en fus aux regrets.»

Il rentre par la mer Noire et la Méditerranée, cette mer qu'il a tant aimée, associée au poétique souvenir de Caroline Ungher. Peut-être est-ce là que l'idée lui vient d'une ultime folie.

Pour amorcer cette dernière phase, après une brève

"(...) Je posai respectueusement mes lèvres sur une petite main un peu brune, mais admirablement faite, regrettant fort que le cérémonial ne fût pas le même pour les femmes que pour les hommes. Je mourais d'envie de souhaiter toutes sortes de prospérités à la princesse Toumaine en frottant mon nez contre le sien.**"**
Alexandre Dumas,
Voyage en Russie

visite à Guernesey, chez Hugo qui attend que l'Empire tombe (Hugo : la jeunesse, encore), il change de maîtresse et, en cette fin d'année 1859, il se met en ménage avec une actrice, Émilie Cordier, de trente-huit ans sa cadette : la jeunesse toujours.

Stendhal avait raison : il n'y a qu'en Italie qu'on trouve encore des hommes énergiques

Au début de 1860, Dumas publie, entre autres, de curieux *Mémoires de Garibaldi*. Qui était cet Italien dont l'Europe s'occupait furieusement ?

Né en 1807, il est de la même génération que Dumas.

C'est un spécialiste de la révolution. Déjà dans les années 40, il a pris part à une insurrection au Brésil, a combattu pour l'Uruguay, puis est rentré en Italie pour la révolution de 1848 – ce qui lui vaut un nouvel exil américain. En 1859, à la tête de 5 000 hommes, il écrase l'armée autrichienne (qui occupe depuis les lustres le nord de l'Italie) à Varese et à Brescia. Et, en 1860, il vient de lancer en Sicile l'expédition des Mille. L'Italie n'existe pas alors. Elle n'est qu'un conglomérat de royaumes exsangues et de principautés pourrissantes. Garibaldi rêve de l'unifier dans une vraie république.

Aussi frustré de sa révolution que les Français le furent de celle de 1830, il se lancera plus tard contre ses anciens alliés, dont le célèbre Cavour, ne supportant pas les demi-mesures du gouvernement de Victor-Emmanuel. Battu, il se réfugiera en France et, ne sachant que faire, se battra aux côtés des Français dans la guerre de 1870 – et se retrouvera, lui, l'Italien, député élu par quatre départements, avant d'être enfin élu député de Rome en 1875.

La France faisait dans le bleu déteint, Dumas choisit le rouge garibaldien. Les artistes n'ont pas de nation, ils internationalisent les révolutions

Au printemps de 1860, Dumas part rejoindre Garibaldi, avec Émilie, à bord de sa goélette *l'Emma*. Dans les quatre ans qui suivront, il ne rentrera que très brièvement à Paris.

Début août, il achète à Marseille, en investissant tout ce qui lui reste de liquidités financières, des armes pour Garibaldi, et les amène à Palerme. Mais nous avons déjà raconté cette histoire. Le 7 septembre, il entre avec les Chemises rouges à Naples, où Garibaldi vient d'opérer sa jonction avec les armées piémontaises. On le nomme conservateur en chef des musées napolitains, et il s'installe dans un palais – encore un –, ce qui n'est pas toujours du goût des Napolitains, gens ombrageux et d'une susceptibilité qui frise la xénophobie.

À la fin de 1860, il lui naît une fille, Micaëlla. Mais il finit pourtant par se brouiller avec Emilie. Il faut dire qu'il rentre à Paris, au début de 1864, accompagné d'une nouvelle maîtresse, la cantatrice italienne Fanny Gordon... Ceci explique cela... Ah ! le « bel canto »...

L'année précédente, l'Église vient de mettre à l'index, c'est-à-dire d'interdire, la plupart des œuvres de Dumas.

Ce mercredi 9 mai 1860, tout Marseille est sur le quai pour voir appareiller *l'Emma*. Nice, Gênes, la Sardaigne, Palerme, enfin, le 10 juin.

Garibaldi est maître de la ville, mais il a besoin d'armes pour marcher sur Rome. Dumas repart, achète 1 000 fusils et 550 carabines qu'il offre aux Chemises rouges. L'épopée garibaldienne se poursuit avec l'entrée triomphale dans Naples.

66 Un cri immense, qu'on eût cru poussé par les cinq cent mille voix de Naples, se fit alors entendre et entra par toutes les fenêtres ouvertes en montant au ciel ; hymne de vengeance contre François II, hosanna de reconnaissance pour le libérateur :
– Vive Garibaldi !
La révolution était faite, et, comme je l'avais promis à Garibaldi, sans qu'elle coûtât une goutte de sang ! **99**

Alexandre Dumas,
les Garibaldiens

La chemise rouge doit déplaire à la candeur papale...

«Sire,

«Il y avait en 1830, et il y a encore aujourd'hui, trois hommes à la tête de la littérature française.

«Ces trois hommes sont : Victor Hugo, Lamartine et moi.

«Victor Hugo est proscrit, Lamartine est ruiné.

«On ne peut me proscrire comme Hugo : rien dans mes écrits, dans ma vie ou dans mes paroles ne donne prise à la proscription. Mais on peut me ruiner comme Lamartine, et en effet, on me ruine. Je ne sais quelle malveillance anime la censure contre moi. J'ai écrit et publié douze cents volumes. Ce n'est pas à moi de les apprécier au point de vue littéraire. Traduits dans toutes les langues, ils ont été aussi loin que la vapeur a pu les porter. Quoique je sois le moins digne des trois, ils m'ont fait, dans les cinq parties du monde, le plus populaire des trois, peut-être parce que l'un est un penseur, l'autre un rêveur, et que je ne suis, moi, qu'un vulgarisateur.

«De ces douze cents volumes, il n'en est pas un qu'on ne puisse laisser lire à un ouvrier du faubourg Saint-Antoine, le plus républicain, ou à une jeune fille du faubourg Saint-Germain, le plus pudique de nos faubourgs.

«Eh bien, Sire, aux yeux de la censure, je suis l'homme le plus immoral qui existe.»

C'est directement à Napoléon III que Dumas écrit cette lettre de protestation le 10 août 1864. Mais qu'importe la détresse d'un auteur à un empereur qui s'enivre d'opérettes et de bals à Saint-Cloud ? A la rigueur, Badinguet, comme on l'appelle, s'inquiéterait des mésaventures de son beau-frère Maximilien, empereur du Mexique, mais de Dumas...

«Si l'on n'est plus que mille, eh bien ! j'en suis ! Si même
Ils ne sont plus que cent, je brave encor Sylla ;
S'il en demeure dix, je serai le dixième ;
Et s'il n'en reste qu'un, je serai celui-là.»

D'ailleurs, Alexandre ne s'illusionne pas. Ce n'est pas pour immoralité qu'on le condamne. Ce ne sont pas ses œuvres qui sont visées, mais lui, le vieux bretteur, le mousquetaire. En 1852, Hugo a écrit son poème célèbre «Et s'il n'en reste qu'un, je serai celui-là.»

Ils sont au moins deux. Dumas le sait bien, qui à

Soirées à l'Opéra, chasses à Compiègne et à Pierrefonds, bains de mer à Biarritz, bals à Saint-Cloud, soupers aux Tuileries, la vie de la cour impériale est haletante. Face à l'autoritarisme de l'empereur et à l'euphorie des privilégiés, les intellectuels s'enferment dans la haine du régime, soutenus par la grande stature de Hugo, seul, là-bas, dans son île.

propos de son ami exilé écrit le 11 juin 1865 au rédacteur en chef de *la Presse* – ce journal qui lui devait la *Reine Margot* et *Joseph Balsamo* :

« Je continue de donner la main à ceux que leur changement d'opinion conduit au malheur et à l'exil, mais je la retire à ceux que leur changement d'opinion conduit à la fortune et aux honneurs. »

Hugo non plus ne s'y trompe pas, qui écrit à Dumas, cinq jours plus tard : « De vous, rien ne m'étonne en fait de vaillance, et, en fait de lâcheté, rien ne m'étonne de ces gueux-là. Vous êtes la lumière ; l'Empire est la nuit ; il vous hait, c'est tout simple, il veut vous éteindre, c'est moins simple. Il y perdra son souffle et sa peine. L'ombre qu'il versera sur vous ajoutera à votre rayonnement. »

Dumas ne supporte plus Paris – en 1865, il part à Lyon. Dumas ne supporte plus la France – en 1866, il repart à Naples et à Florence, et en Allemagne, et en Autriche. Il est le mouvement perpétuel, au fur et à mesure qu'il sent approcher l'heure.

> ❝ Monsieur Napoléon,
> c'est son nom authentique,
> Est pauvre et même
> prince ; il aime les palais ;
> (...)
> Il veut avoir Saint-Cloud,
> plein de roses l'été,
> Où viendront l'adorer les
> préfets et les maires ;
> C'est pour cela qu'il faut
> que les vieilles
> grand'mères,
> De leurs pauvres doigts
> gris que fait trembler le
> temps,
> Cousent dans le linceul des
> enfants de sept ans. ❞
> Victor Hugo,
> « Souvenir de la nuit du 4 »
> *les Châtiments*

En décembre 1864, Dumas donne une conférence sur Delacroix – mort l'année précédente. Delacroix, «avec sa petite redingote noire collée à son corps», écrivait-il jadis. Il ne parle guère de l'artiste qui a peint *la Mort de Sardanapale,* le scandale du Salon de 1828 – les grandes batailles du romantisme, déjà... Il parle de l'ami mort, l'ami de ces autres amis qui s'appelaient Afred et Tony Johannot (morts), Clément Boulanger (mort), Granville (mort), Ary Scheffer (mort), Gabriel Decamps (mort).

En août 1864, à la galerie Martinet, boulevard des Italiens, s'ouvre une exposition de 350 œuvres de Delacroix.

❝ Papa, disait une petite carliste, qui est donc cette sale femme avec un bonnet rouge ? – En effet, chère enfant, répondait le noble papa avec un sourire doucereusement moqueur, elle n'a rien à faire avec la pureté des lis. C'est la déesse de la liberté.
– Papa, elle n'a pas même de chemise.
– Une véritable déesse de la liberté, chère enfant, n'a pas d'ordinaire une chemise, et c'est pourquoi elle est si fort irritée contre ceux qui portent du linge blanc. ❞
Henri Heine.
Allemands et Français,

Lui qui a fondé des journaux n'ose presque plus ouvrir la presse quotidienne, de peur d'apprendre un nouveau décès.

A plus de soixante ans, Dumas trouve enfin un public selon son cœur : sa fille, qui vient d'avoir six ans

Il a beau changer de maîtresse encore une fois, la femme qu'il voit le plus régulièrement est sa fille, Micaëlla, son

«bébé» comme il l'appelle − essayant vainement de
conjurer la mort dans les yeux bleus d'une petite fille de
6 ans.

Pourtant, il présente encore bien. Sa coquetterie, et
même son dandysme, sont plus discrets qu'autrefois, mais
détonnent autant sur ce corps gigantesque : «14 février
1866. Entre au milieu de notre conversation, Dumas père,
cravaté de blanc, gileté de blanc, énorme, suant, soufflant,
largement hilare. Il arrive d'Autriche, de Hongrie, de
Bohême... Il parle de Pesth où on l'a joué en hongrois, de
Vienne où l'empereur lui a prêté une salle de son palais
pour faire une conférence ; il parle de ses romans, de son
théâtre, de ses pièces qu'on ne veut pas jouer à la Comédie-
Française, de son *Chevalier de Maison-Rouge* qui est
interdit, puis d'un privilège de théâtre qu'il ne peut pas
obtenir, puis encore d'un restaurant qu'il veut fonder aux
Champs-Élysées.

«Un moi énorme, un moi à l'instar de l'homme, mais
débordant de bonne enfance, mais pétillant d'esprit.»
(Edmond et Jules de Goncourt, *Journal*.)

Le 18 novembre 1866,
Dumas fonde un second
Mousquetaire − qui
s'effondre le 25 avril
1867. Il n'écrit

Marie Dumas

En 1864, Dumas s'est
séparé d'Émilie
Cordier : il souffre
horriblement de devoir lui
abandonner leur fille,
«Bébé». Mais une fille
remplace une autre : à la
fin de cette même année
1864 sa fille Marie quitte le
couvent des Dames de
l'Assomption et vient
vivre avec son père, qu'elle
ne quittera plus.

C'est en avril 1867
qu'Alexandre
rencontre une belle écuyère
américaine, Adah Isaacs
Menken, vedette à Bobino.
Ironie du sort, elle mourra
avant lui, l'année suivante,
d'une péritonite.

presque plus. Au théâtre, on reprend ses œuvres, *Mademoiselle de Belle-Isle, Antony*. Il est devenu un classique, il est entré dans l'Histoire. Il ne lui reste plus qu'à mourir pour entrer dans la légende.

1870 : la guerre vient d'éclater entre la France et la Prusse. D'un côté un régime usé de bals. De l'autre, Bismarck.

La fille aînée de Dumas, Marie, née en 1831, traîne son père à Puys, non loin de Dieppe, où son fils Alexandre, maintenant auteur à succès, a une maison. «Je viens mourir chez toi.»

L'hiver de 1870-1871 sera si rude que la Seine gèlera à Paris. Dumas préfère partir dès les premiers frimas

Ce mois de septembre est beau. Et le 4, la république est proclamée, après la chute de Sedan. Exit Badinguet.

La république... Espérée en 1830, et trahie par ceux qu'il appelle dans ses *Mémoires* «les convives parasites du pouvoir admis à la curée des charges, au festin des places...»

Acquise en 1848, et presque immédiatement vendue à un ambitieux à la fine moustache portant un nom célèbre. Du sang en 1830, du sang en 1848, et du sang dans cette guerre idiote et impériale de 1870.

Alexandre Dumas s'éteint doucement, pendant deux mois, et meurt, comme on rêve, le lundi 5 décembre 1870, à dix heures du soir.

66 Un beau jour, notre écuyère
Rencontra notre écrivain,
Entre fourchette et cuillère,
Dans un déjeuner rupin...

Or, en tant qu'ex-mousquetaire,
Lui qui va toujours bon train...
Il mit un baiser au sein
De la pudique écuyère.

«Tout beau ! fougueux écrivain...»
Dit en riant l'écuyère :
«Tout beau, fougueux écrivain !
Pour moi, gras sexagénaire
Serait un maigre butin.
Que gagnerais-je à l'affaire ?
– Parbleu ! l'honneur souverain,
Femme d'avoir su me plaire. 99
Le Tintamarre,
journal satirique

TÉMOIGNAGES
ET DOCUMENTS

Les héros de
ses romans, ses souvenirs,
ses récits de voyage et ses recettes
de cuisine...

Le maître du
plus vrai
que le vrai
Jean Cocteau
1955

Mes Mémoires

Dumas sort en 1848-1850 de la période de sa vie la plus créatrice, sur le plan romanesque. La tentation était forte de faire de la vie narrée une autre version du roman — tout en reprenant dans les romans ce que l'auteur y avait mis de sa vie. L'aller-retour permanent entre fiction et réalité, vraie malédiction pour le biographe, est une bénédiction pour le lecteur.

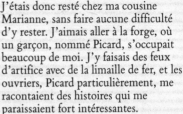

J'étais donc resté chez ma cousine Marianne, sans faire aucune difficulté d'y rester. J'aimais aller à la forge, où un garçon, nommé Picard, s'occupait beaucoup de moi. J'y faisais des feux d'artifice avec de la limaille de fer, et les ouvriers, Picard particulièrement, me racontaient des histoires qui me paraissaient fort intéressantes.

Je restai à la forge assez avant dans la soirée ; la forge avait, le soir, des reflets fantastiques et des jeux de lumière et d'ombre qui me plaisaient infiniment. Vers huit heures, ma cousine Marianne vint m'y chercher, me coucha dans le petit lit en face du grand, et je m'endormis de ce bon sommeil que Dieu donne aux enfants, comme la rosée au printemps.

A minuit, je fus réveillé, ou plutôt nous fûmes réveillés, ma cousine et moi, par un grand coup frappé à la porte. Une veilleuse brûlait sur une table de nuit ; à la lueur de cette veilleuse, je vis ma cousine se soulever sur son lit, très effrayée, mais sans rien dire.

Personne ne pouvait frapper à cette porte intérieure, puisque les deux autres portes étaient fermées.

Mais, moi qui aujourd'hui frissonne presque en écrivant ces lignes, moi, au contraire, je n'éprouvai aucune peur : je descendis à bas de mon lit et je m'avançai vers la porte.

— Où vas-tu, Alexandre ? me cria ma cousine ; où vas-tu donc ?
— Tu le vois bien, répondis-je tranquillement, je vais ouvrir à papa, qui vient nous dire adieu.

La pauvre fille sauta hors de son lit tout effarée, m'attrapa comme je mettais la main à la serrure, et me recoucha de force dans mon lit.

Je me débattais entre ses bras,

criant de toutes mes forces :

– Adieu, papa ! adieu, papa !

Quelque chose de pareil à une haleine expirante passa sur mon visage et me calma.

Cependant je me rendormis avec des larmes plein les yeux et des sanglots plein la gorge.

Le lendemain, on vint nous réveiller au jour.

Mon père était mort juste à l'heure où ce grand coup dont je viens de parler avait été frappé à la porte !

Alors j'entendis ces mots, sans trop savoir ce qu'ils signifiaient :

Mon pauvre enfant, ton papa, qui t'aimait tant, est mort !

Quelle bouche prononça sur moi ces mots qui me faisaient orphelin à trois ans et demi ?

Il me serait impossible de le dire.

Par qui me fut annoncé le plus grand malheur de ma vie ?

Je l'ignore.

– Mon papa est mort, répliquai-je. Qu'est-ce que cela veut dire ?

– Cela veut dire que tu ne le verras plus.

– Comment, je ne verrai plus papa ?

– Non.

– Et pourquoi ne le verrai-je plus ?

– Parce que le bon Dieu te l'a repris.

– Pour toujours ?

– Pour toujours.

– Et vous dites que je ne le verrai plus ?

– Plus jamais.

– Plus jamais, jamais ?

– Plus jamais !

– Et où demeure-t-il, le bon Dieu ?

– Il demeure au ciel.

Je restai un instant pensif. Si enfant, si privé de raison que je fusse, je comprenais cependant que quelque chose de fatal venait de s'accomplir dans ma vie. Puis, profitant du premier moment où l'on cessa de faire attention à moi, je m'échappai de chez mon oncle et courus droit chez ma mère.

Toutes les portes étaient ouvertes, tous les visages étaient effarés ; on sentait que la mort était là.

J'entrai donc sans que personne me vît ou me remarquât. Je gagnai une petite chambre où l'on enfermait les armes ; je pris un fusil à un coup qui appartenait à mon père, et que l'on avait souvent promis de me donner quand je serais grand.

Puis, armé de ce fusil, je montai l'escalier.

Au premier étage, je rencontrai ma mère sur le palier.

Elle sortait de la chambre mortuaire... elle était tout en larmes.

– Où vas-tu ? me demanda-t-elle, étonnée de me voir là, quand elle me croyait chez mon oncle.

– Je vais au ciel ! répondis-je.

– Comment, tu vas au ciel ?

– Oui, laisse-moi passer.

– Et qu'y vas-tu faire, au ciel, mon pauvre enfant ?

– J'y vais tuer le bon Dieu, qui a tué papa.

Ma mère me saisit entre ses bras, et, me serrant à m'étouffer :

– Oh ! ne dis pas de ces choses-là, mon enfant, s'écria-t-elle ; nous sommes déjà bien assez malheureux !

Mes mémoires, 1852

Première d'Antony

C'est dans ses mémoires que Dumas évoque l'événement capital de sa vie littéraire, qui lui permit de passer, en quelques heures, du statut peu glorieux de petit employé à celui, plus enviable, d'auteur à succès. La « première » d'Antony est le coup d'envoi du romantisme triomphant.

La toile se leva.

Madame Dorval, en robe de gaze, en toilette de ville, en femme du monde enfin, c'était une nouveauté au théâtre où l'on venait de la voir dans *les Deux Forçats* et dans *Trente Ans* ; aussi ses premières scènes eurent-elles un médiocre succès ; sa voix rauque, ses épaules voûtées, son geste, si familier que dans les scènes sans passion il devenait vulgaire, tout cela ne prévenait en faveur ni de la pièce ni de l'actrice. Deux ou trois intonations d'une admirable justesse trouvèrent, cependant, grâce devant le public, mais ne l'émurent pas au point de lui arracher un seul bravo.

Bocage, de son côté, on le rappelle, a peu de chose dans le premier acte : on l'apporte évanoui, et le seul effet qu'il ait, c'est, après avoir arraché l'appareil de sa blessure, cette phrase qu'il prononce en s'évanouissant pour la seconde fois : « Et, maintenant, je resterai, n'est-ce pas ? »

À cette phrase seulement, on commença de comprendre la pièce, et de sentir ce que pouvait renfermer de drame intime un ouvrage dont le premier acte se terminait ainsi.

La toile tomba au milieu des applaudissements.

J'avais recommandé de faire les entr'actes courts. Je passai au théâtre pour presser moi-même artistes, régisseurs et machinistes. Au bout de cinq minutes, avant que l'émotion eût le temps de se calmer, la toile se leva de nouveau.

Le second acte était tout entier à Bocage. Il s'en empara avec vigueur, mais sans égoïsme, laissant à Dorval tout ce qu'elle avait le droit d'y prendre, et s'élevant à une très grande hauteur dans sa scène de misanthropie

66 Et maintenant, je resterai, n'est-ce-pas ? 99

amère et de menace amoureuse, scène qui, au reste, — à part celle des enfants trouvés, — tient à peu près tout l'acte.

Je le répète, Bocage y fut très beau : intelligence d'esprit, noblesse de cœur, expression de visage, le type d'Antony tel que je l'avais conçu était livré au public.

Après l'acte, et tandis que la salle applaudissait encore, je montai le féliciter de grand cœur. Il était rayonnant d'enthousiasme et d'espoir, et Dorval lui disait, avec la franchise de son génie, combien elle était contente de lui. Dorval ne craignait rien : elle savait que le quatrième et le cinquième actes étaient à elle, et elle attendait tranquillement son tour.

La salle, à ma rentrée, était frémissante ; on y sentait cette atmosphère imprégnée d'émotions qui fait les grands succès. Je commençais à croire que j'avais eu raison contre tout le monde, même contre mon directeur. J'excepte Alfred de Vigny, qui m'avait

prédit un succès.

On connaît le troisième acte, il avait, du côté de la violence, un certain rapport avec le troisième acte d'*Henri III,* où le duc de Guise broie le poignet de sa femme pour la forcer de donner à Saint-Mégrin un rendez-vous de son écriture.

Heureusement, le troisième acte du Théâtre-Français, ayant réussi, faisait planche à celui de la Porte-Saint-Martin.

Antony, poursuivant Adèle, arrive le premier dans une auberge de village, s'empare de tous les chevaux de poste, pour obliger Adèle à s'y arrêter, choisit, dans les deux seules chambres de l'hôtellerie, celle qui lui convient, se ménage par le balcon une entrée dans celle d'Adèle, et se retire au bruit de la voiture de celle-ci.

Adèle entre, prie, supplie pour qu'on lui trouve des chevaux : elle n'est plus qu'à quelques lieues de Strasbourg, où elle va rejoindre son mari ; les chevaux, écartés par Antony, sont introuvables : Adèle est obligée de passer la nuit dans l'hôtel. Elle prend toutes ses précautions de sûreté, précautions qui, dès qu'elle sera seule, deviendront nulles par le fait de la croisée du balcon, oubliée dans sa craintive investigation.

Madame Dorval était adorable de naïveté féminine et de terreur instinctive. Elle disait comme personne ne les eût dites, comme personne ne les dira jamais, ces deux phrases bien simples : «Mais elle ne ferme pas, cette porte !» et : «Il n'est jamais arrivé d'accident dans votre hôtel, madame ?» Puis, l'hôtelière rentrée, elle se décidait elle-même à rentrer dans son cabinet.

A peine avait-elle disparu qu'un carreau de la fenêtre tombait brisé en

 Adèle, poignardée par Antony.

éclats, qu'un bras s'avançait, que l'espagnolette était levée, que la fenêtre s'ouvrait, et qu'Antony et Adèle apparaissaient à la fois, l'un sur le balcon de sa fenêtre, l'autre sur le seuil de son cabinet.

Adèle, à la vue d'Antony, poussait un cri. Le reste de la mise en scène était d'une naïveté effrayante. Pour empêcher que le cri ne se renouvelât, Antony jetait un mouchoir sur la bouche d'Adèle, entraînait celle-ci vers le cabinet, et, au moment où ils entraient tous deux, la toile tombait.

Il y eut un instant de silence dans la salle. Porcher, l'homme que j'avais désigné à l'un de nos trois ou quatre prétendants à la couronne comme le plus capable de lui faire une restauration ; Porcher, qui était chargé de ma restauration, à moi, hésitait à donner le signal. Le pont de Mahomet n'est pas plus étroit que ce fil qui suspendait en ce moment *Antony* entre

un succès et une chute.

Le succès l'emporta. Une immense clameur suivie d'applaudissements frénétiques s'élança comme une cataracte. On applaudit et l'on hurla pendant cinq minutes. [...]

Le cinquième acte commença littéralement avant que les applaudissements du quatrième se fussent apaisés.

J'eus un moment d'angoisse. Au milieu de la scène d'épouvante où les deux amants, pris dans un cercle de douleurs, se débattent sans trouver un moyen ni de vivre ni de mourir ensemble, un instant avant que Dorval s'écriât : « Mais je suis perdue, moi ! », j'avais, dans la mise en scène, fait faire à Bocage un mouvement qui préparait le fauteuil à recevoir Adèle, presque foudroyée par la nouvelle de l'arrivée de son mari. Bocage oublia de tourner le fauteuil.

Mais Dorval était tellement emportée par la passion qu'elle ne s'inquiéta point de si peu. Au lieu de tomber sur le coussin, elle tomba sur le bras du fauteuil, et jeta son cri de désespoir avec une si poignante douleur d'âme meurtrie, déchirée, brisée, que toute la salle se leva.

Cette fois, les bravos n'étaient point pour moi ; ils étaient pour l'actrice, pour l'actrice seule, pour la merveilleuse, pour la sublime actrice !

On connaît de dénouement, dénouement si inattendu, et qui se résume dans une seule phrase, qui éclate en six mots. La porte est enfoncée par M. d'Hervey au moment où Adèle, poignardée par Antony, tombe sur un sofa. « Morte ? s'écrie le baron d'Hervey. – Oui, morte ! répond froidement Antony. *Elle me résistait : je l'ai assassinée !* » Et il jette son

❝ Le public avait crevé ses gants à force d'applaudir. **❞**

poignard aux pieds du mari.

On poussait de tels cris de terreur, d'effroi, de douleur dans la salle, que peut-être le tiers des spectateurs à peine entendit ces mots, complément obligé de la pièce, qui, sans eux, n'offre plus qu'une simple intrigue d'adultère dénouée par un simple assassinat.

Et, cependant, l'effet fut immense. On demanda l'auteur avec des cris de rage. Bocage vint et me nomma.

Puis on redemanda Antony et Adèle, et tous deux revinrent prendre leur part d'un triomphe comme ils n'en avaient jamais eu, comme ils n'en devaient jamais ravoir.

C'est que tous deux avaient atteint les plus splendides hauteurs de l'art !

Je m'élançai hors de ma baignoire pour courir à eux, sans faire attention que les corridors étaient encombrés de spectateurs sortant des loges.

Je n'avais pas fait quatre pas, que j'étais reconnu. Alors, j'eus mon tour comme auteur.

Tout un monde de jeunes gens de mon âge, — j'avais vingt-huit ans, — pâle, effaré, haletant, se rua sur moi. On me tira à droite, on me tira à gauche, on m'embrassa. J'avais un habit vert boutonné du premier au dernier bouton : on en mit les basques en morceaux. J'entrai dans les coulisses comme lord Spencer rentre chez lui, avec une veste ronde ; le reste de mon habit était passé à l'état de relique.

Au théâtre, on était stupéfait. On n'avait jamais vu de succès se produisant sous une pareille forme ; jamais applaudissements n'étaient arrivés si directement du public aux acteurs ; — et de quel public ? du public fashionable, du public dandy, du public des premières loges, du public qui n'applaudit pas d'habitude, et qui, cette fois, s'était enroué à force de crier, avait crevé ses gants à force d'applaudir.

Mes mémoires, 1852

La Dame de Monsoreau

L'action se déroule au XVIe siècle. Nous sommes au début du roman. Le beau Bussy d'Amboise a provoqué la jalousie de Quélus, qui essaie de l'assassiner. Mais un héros de roman a toujours, dans les premiers chapitres, l'âme particulièrement bien chevillée au corps. Sur ce, une belle inconnue...

Bussy compta les ombres noires sur la muraille grise.

– Trois, quatre, cinq, dit-il, sans compter les laquais qui se tiennent sans doute dans un autre coin et qui accourront au premier appel des maîtres. On fait cas de moi, à ce qu'il paraît. Diable ! voilà pourtant bien de la besogne pour un seul homme. »

Ce fut alors que Schomberg s'écria : « Aux épées ! » et qu'à ce cri répété par ses quatres compagnons, les gentilshommes bondirent au-devant de Bussy.

– Oui-da, messieurs, dit Bussy de sa voix aiguë mais tranquille, on veut tuer à ce qu'il paraît ce pauvre Bussy ! C'est donc une bête fauve, c'est donc ce fameux sanglier que nous comptions chasser ? Eh bien, messieurs, le sanglier va en découdre quelques-uns, c'est moi qui vous le jure, et vous savez que je ne manque pas à ma parole !

– Soit ! dit Schomberg ; mais cela n'empêche pas que tu sois un grand malappris, seigneur Bussy d'Amboise, de nous parler ainsi à cheval, quand nous t'écoutons à pied.

Et en disant ces paroles, le bras du jeune homme, vêtu de satin blanc, sortit du manteau et étincela comme un éclair d'argent aux rayons de la lune, sans que Bussy pût deviner quelle intention, si ce n'est à une intention de menace, correspondance au geste qu'il faisait.

Aussi allait-il répondre comme répondait d'ordinaire Bussy, lorsque, au moment d'enfoncer les éperons dans le ventre de son cheval, il sentit l'animal plier et mollir sous lui. Schomberg, avec une adresse qui lui était particulière et dont il avait déjà donné des preuves dans les nombreux combats

66 Le bras du jeune homme, vêtu de satin blanc, sortit du manteau... 99

soutenus par lui, tout jeune qu'il était, avait lancé une espèce de coutelas dont la large lame était plus lourde que le manche, et l'arme, en taillant le jarret du cheval, était restée dans la plaie comme un couperet dans une branche de chêne.

L'animal poussa un hennissement sourd et tomba en frissonnant sur ses genoux.

Bussy, toujours préparé à tout, se trouva les deux pieds à terre et l'épée à la main.

– Ah! malheureux! dit-il, c'est mon cheval favori; vous me le paierez.

Et comme Schomberg s'approchait, emporté par son courage, et calculant mal la portée de l'épée que Bussy tenait serrée au corps, comme on calcule mal la portée de la dent du serpent roulé en spirale, cette épée et ce bras se détendirent et lui crevèrent la cuisse.

Schomberg poussa un cri.

– Eh! bien, dit Bussy, suis-je de parole? Un de décousu déjà. C'était le poignet de Bussy et non le jarret de son cheval qu'il fallait couper, maladroit!

Et en un clin d'œil, tandis que Schomberg comprimait sa cuisse avec son mouchoir, Bussy eut présenté la pointe de sa longue épée au visage, à la poitrine des quatre autres assaillants, dédaignant de crier; car appeler au secours, c'est-à-dire reconnaître qu'il avait besoin d'aide, était indigne de Bussy; seulement, roulant son manteau autour de son bras gauche et s'en faisant un bouclier, il rompit, non pas pour fuir, mais pour gagner une muraille contre laquelle il pût s'adosser afin de n'être point pris par derrière. Une fois il glissa et regarda machinalement la terre. Cet instant suffit à Quélus qui lui porta un coup dans le côté.

– Touché, cria Quélus.

– Oui, dans le pourpoint, répondit Bussy qui ne voulait pas même avouer sa blessure, comme tous les gens qui ont peur.

Bussy fit en arrière un bond qui mit trois pas entre lui et les assaillants; mais quatre épées le rattrapèrent bien vite, et cependant c'était encore trop tard, car Bussy venait, grâce à un autre bond, de s'adosser au mur. Là, il s'arrêta, fort comme Achille ou comme Roland, et souriant à cette tempête de coups qui s'abîmaient sur sa tête et cliquetaient autour de lui.

Tout à coup il sentit la sueur à son front et un nuage passa sur ses yeux.

Il avait oublié sa blessure, et les symptômes d'évanouissement qu'il venait d'éprouver la lui rappelaient.

– Ah! tu faiblis, s'écria Quélus

redoublant ses coups.

– Tiens ! dit Bussy, juges-en.

Et du pommeau de son épée, il le frappa à la tempe. Quélus roula sous ce coup de poing de fer.

Il rassembla toutes ses forces pour opérer sa retraite, et recula pas à pas pour regagner son mur. Déjà la sueur glacée de son front, le tintement sourd de ses oreilles, une taie douloureuse et sanglante étendue sur ses yeux lui annonçaient l'épuisement de ses forces. L'épée ne suivait plus le chemin que lui traçait la pensée obscurcie. Bussy chercha le mur avec sa main gauche, le toucha, et le froid du mur lui fit du bien ; mais, à son grand étonnement, le mur céda. C'était une porte entrebâillée.

Alors Bussy reprit espoir et reconquit toutes ses forces pour ce moment suprême. Pendant une seconde ses coups furent si rapides et si violents, que toutes les épées s'écartèrent ou se baissèrent devant lui. Alors il se laissa glisser de l'autre côté de cette porte, et se retournant il la poussa d'un violent coup d'épaule. Le pêne claqua dans la gâche. C'était fini, Bussy était hors de danger, Bussy était vainqueur puisqu'il était sauvé.

Alors, d'un œil égaré par la joie, il vit à travers le guichet à l'étroit grillage les figures pâles de ses ennemis. Il entendit les coups d'épée furieux entamer le bois de la porte, puis des cris de rage, des appels insensés. Enfin, tout à coup il lui sembla que la terre manquait sous ses pieds, que la muraille vacillait. Il fit trois pas en avant et se trouva dans une cour, tourna sur lui-même et alla rouler sur les marches d'un escalier.

Puis il ne sentit plus rien, et il lui sembla qu'il descendait dans le silence et l'obscurité du tombeau.

Bussy avait eu le temps, avant de tomber, de passer son mouchoir sous sa chemise, et de boucler le ceinturon de son épée par-dessus, ce qui avait fait une espèce de bandage à la plaie vive et brûlante d'où le sang s'échappait comme un jet de flammes ; mais lorsqu'il en arriva là, il avait déjà perdu assez de sang pour que cette perte amenât l'évanouissement auquel nous avons vu qu'il avait succombé.

Il se trouvait dans une chambre avec des meubles de bois sculpté, avec une tapisserie à personnages et un plafond peint. Ces personnages, dans toutes les attitudes possibles, tenant des fleurs, portant des piques, semblaient sortir des murailles contre lesquelles ils s'agitaient pour monter au plafond par des chemins mystérieux. Entre les deux fenêtres, un portrait de femme était placé, éclatant de lumière, seulement il semblait à Bussy que le cadre de ce portrait n'était autre chose que le chambranle d'une porte.

Tout à coup, la femme du portrait sembla se détacher du cadre, et une adorable créature, vêtue d'une longue robe de laine blanche, comme celle que portent les anges, avec des cheveux blonds tombant sur les épaules, avec des yeux noirs comme du jais, avec de longs cils veloutés, avec une peau sous laquelle il semblait qu'on pût voir circuler le sang qui la teintait de rose, s'avança vers lui. Cette femme était si prodigieusement belle, ses bras étendus étaient si attrayants, que Bussy fit un violent effort pour aller se jeter à ses pieds.

la Dame de Monsoreau, 1846

La Tulipe noire

La tulipe noire est bien ici une vraie tulipe, objet d'un concours, et de la convoitise d'amateurs jaloux. C'est que nous sommes en Hollande, au XVIIIe siècle. A la suite d'intrigues abominables, Cornélius, horticulteur de son état, se retrouve enfermé. Mais Rosa, la fille du geôlier, est avenante, et Cornélius, sans se désintéresser des tulipes, se consacre momentanément à la rose.

Le lendemain, avons-nous dit, Rosa revint avec la Bible de Corneille de Witt.

Alors commença entre le maître et l'écolière une de ces scènes charmantes qui font la joie du romancier quand il a le bonheur de les rencontrer sous sa plume.

Le guichet, seule ouverture qui servît de communication aux deux amants, était trop élevé pour que des gens qui s'étaient jusque-là contentés de lire sur le visage l'un de l'autre tout ce qu'ils avaient à se dire pussent lire commodément sur le livre que Rosa avait apporté.

En conséquence, la jeune fille dut s'appuyer au guichet, la tête penchée, le livre à la hauteur de la lumière qu'elle tenait de la main droite, et que, pour la reposer un peu, Cornélius imagina de fixer par un mouchoir au treillis de fer. Dès lors Rosa put suivre avec un de ses doigts sur le livre les lettres et les syllabes que lui faisait épeler Cornélius,

« Le feu de cette lampe éclairait les riches couleurs de Rosa... »

lequel, muni d'un fétu de paille en guise d'indicateur, désignait ces lettres par le trou du grillage à son écolière attentive.

Le feu de cette lampe éclairait les riches couleurs de Rosa, son œil bleu et profond, ses tresses blondes sous le casque d'or bruni qui, ainsi que nous l'avons dit, sert de coiffure aux Frisonnes ; ses doigts levés en l'air et dont le sang descendait, prenaient ce ton pâle et rose qui resplendit aux lumières et qui indique la vie mystérieuse que l'on voit circuler sous la chair.

L'intelligence de Rosa se développait rapidement sous le contact vivifiant de l'esprit de Cornélius, et, quand la difficulté paraissait trop ardue, ces yeux qui plongeaient l'un dans l'autre détachaient des étincelles électriques capables d'éclairer les ténèbres même de l'idiotisme.

Et Rosa, descendue chez elle, repassait seule dans son esprit les leçons de lecture, et en même temps dans son âme les leçons non avouées de l'amour.

La Tulipe noire, 1850

Les Trois Mousquetaires

Nous sommes au XVIIe siècle. D'Artagnan est à Paris depuis un jour à peine, et déjà il a trois duels sur les bras, avec trois membres éminents de cette compagnie des Mousquetaires où, jeune garçon ignorant, il brûle d'entrer.
Le début du roman est encore proche, mais déjà l'œuvre va cesser de mériter son titre, puisque ici trois va monter à la puissance du quatre.

Il était midi et un quart. Le soleil était à son zénith, et l'emplacement choisi pour être le théâtre du duel se trouvait exposé à toute son ardeur.

— Il fait très chaud, dit Athos en tirant son épée à son tour, et cependant je ne saurais ôter mon pourpoint ; car, tout à l'heure encore, j'ai senti que ma blessure saignait, et je craindrais de gêner monsieur en lui montrant du sang qu'il ne m'aurait pas tiré lui-même.

— C'est vrai, monsieur, dit d'Artagnan, et tiré par un autre ou par moi, je vous assure que je verrai toujours avec bien du regret le sang d'un aussi brave gentilhomme ; je me battrai donc en pourpoint comme vous.

— Voyons, voyons, dit Porthos, assez de compliments comme cela, et songez que nous attendons notre tour.

— Parlez pour vous seul, Porthos, quand vous aurez à dire de pareilles incongruités, interrompit Aramis. Quant à moi, je trouve les choses que ces messieurs se disent fort bien dites et tout à fait dignes de deux gentilshommes.

— Quand vous voudrez, monsieur, dit Athos en se mettant en garde.

— J'attendais vos ordres, dit d'Artagnan en croisant le fer.

Mais les deux rapières avaient à peine résonné en se touchant qu'une escouade de gardes de Son Éminence, commandée par M. de Jussac, se montra à l'angle du couvent.

— Les gardes du cardinal ! s'écrièrent à la fois Porthos et Aramis. L'épée au fourreau, messieurs ! l'épée au fourreau !

Mais il était trop tard. Les deux combattants avaient été vus dans une pose qui ne permettait pas de douter de leurs intentions.

66 Nous allons avoir l'honneur de vous charger, répondit Aramis... **99**

– Holà ! cria Jussac en s'avançant vers eux et en faisant signe à ses hommes d'en faire autant, holà ! mousquetaires, on se bat donc ici ? Et les édits, qu'en faisons-nous ?

– Vous êtes bien généreux, messieurs les gardes, dit Athos plein de rancune, car Jussac était l'un des agresseurs de l'avant-veille. Si nous vous voyions vous battre, je vous réponds, moi, que nous nous garderions bien de vous en empêcher. Laissez-nous donc faire, et vous allez avoir du plaisir sans prendre aucune peine.

– Messieurs, dit Jussac, c'est avec grand regret que je vous déclare que la chose est impossible. Notre devoir avant tout. Rengainez donc, s'il vous plaît, et nous suivez.

– Monsieur, dit Aramis parodiant Jussac, ce serait avec un grand plaisir que nous obéirions à votre gracieuse invitation, si cela dépendait de nous ; mais malheureusement la chose est impossible : M. de Tréville nous l'a défendu. Passez donc votre chemin, c'est ce que vous avez de mieux à faire.

Cette raillerie exaspéra Jussac.

— Nous vous chargerons donc, dit-il, si vous désobéissez.

— Ils sont cinq, dit Athos à demi-voix, et nous ne sommes que trois ; nous serons encore battus, et il nous faudra mourir ici, car, je le déclare, je ne reparais pas vaincu devant le capitaine.

Alors Porthos et Aramis se rapprochèrent à l'instant les uns des autres, pendant que Jussac alignait ses soldats.

Ce seul moment suffit à d'Artagnan pour prendre son parti : c'était là un de ces événements qui décident de la vie d'un homme, c'était un choix à faire entre le roi et le cardinal ; ce choix fait, il fallait y persévérer. Se battre, c'est-à-dire désobéir à la loi, c'est-à-dire risquer sa tête, c'est-à-dire se faire d'un seul coup l'ennemi d'un ministre plus puissant que le roi lui-même : voilà ce qu'entrevit le jeune homme, et, disons-le à sa louange, il n'hésita point une seconde. Se tournant donc vers Athos et ses amis :

— Messieurs, dit-il, je reprendrai, s'il vous plaît, quelque chose à vos paroles. Vous avez dit que vous n'étiez que trois, mais il me semble, à moi, que nous sommes quatre.

— Mais vous n'êtes pas des nôtres,

dit Porthos.

— C'est vrai, répondit d'Artagnan ; je n'ai pas l'habit, mais j'ai l'âme. Mon cœur est mousquetaire, je le sens bien, monsieur, et cela m'entraîne.

— Écartez-vous, jeune homme, cria Jussac, qui sans doute à ses gestes et à l'expression de son visage avait deviné le dessein de d'Artagnan. Vous pouvez vous retirer, nous y consentons. Sauvez votre peau ; allez vite.

D'Artagnan ne bougea point.

— Décidément vous êtes un joli garçon, dit Athos en serrant la main du jeune homme.

— Allons ! allons ! prenons un parti, reprit Jussac.

— Voyons, dirent Porthos et Aramis, faisons quelque chose.

— Monsieur est plein de générosité, dit Athos.

Mais tous trois pensaient à la jeunesse de d'Artagnan et redoutaient son inexpérience.

— Nous ne serons que trois, dont un blessé, plus un enfant, reprit Athos, et l'on n'en dira pas moins que nous étions quatre hommes.

— Oui, mais reculer ! dit Porthos.

— C'est difficile, reprit Athos.

D'Artagnan comprit leur irrésolution.

— Messieurs, essayez-moi toujours, dit-il, et je vous jure sur l'honneur que je ne veux pas m'en aller d'ici si nous sommes vaincus.

— Comment vous appelle-t-on, mon brave ? dit Athos.

— D'Artagnan, monsieur.

— Eh bien ! Athos, Porthos, Aramis et d'Artagnan, en avant ! cria Athos.

— Eh bien ! voyons, messieurs, vous décidez-vous à vous décider ? cria pour la troisième fois Jussac.

— C'est fait, messieurs, dit Athos.

— Et quel parti prenez-vous ? demanda Jussac.

— Nous allons avoir l'honneur de vous charger, répondit Aramis en levant son chapeau d'une main et tirant son épée de l'autre.

— Ah ! vous résistez ! s'écria Jussac.

— Sangdieu ! cela vous étonne ?

Et les neuf combattants se précipitèrent les uns sur les autres avec une furie qui n'excluait pas une certaine méthode.

Athos prit un certain Cahusac, favori du cardinal ; Porthos eut Biscarat et Aramis se vit en face de deux adversaires.

Quant à d'Artagnan, il se trouva lancé contre Jussac lui-même.

Le cœur du jeune Gascon battait à lui briser la poitrine, non pas de peur, Dieu merci ! il n'en avait pas l'ombre, mais d'émulation ; il se battait comme un tigre en fureur, tournant dix fois autour de son adversaire, changeant vingt fois ses gardes et son terrain. Jussac était, comme on le disait alors, friand de la lame, et avait fort pratiqué ; cependant il avait toutes les peines du monde à se défendre contre un adversaire qui, agile et bondissant, s'écartait à tout moment des règles reçues, attaquant de tous côtés à la fois, et tout cela en parant en homme qui a le plus grand respect pour son épiderme.

Enfin cette lutte finit par faire perdre patience à Jussac. Furieux d'être tenu en échec par celui qu'il avait regardé comme un enfant, il s'échauffa et commença à faire des fautes. D'Artagnan, qui, à défaut de la pratique, avait une profonde théorie, redoubla d'agilité. Jussac, voulant en finir, porta un coup terrible à son adversaire en se fendant à fond ; mais

66On les voyait entrelacés...**99**

celui-ci para prime, et tandis que Jussac se relevait, se glissant comme un serpent sous son fer, il lui passa son épée au travers du corps. Jussac tomba comme une masse.

D'Artagnan jeta alors un coup d'œil inquiet et rapide sur le champ de bataille.

Aramis avait déjà tué un de ses adversaires ; mais l'autre le pressait vivement. Cependant Aramis était en bonne situation et pouvait encore se défendre.

Biscarat et Porthos venaient de faire coup fourré ; Porthos avait reçu un coup d'épée au travers du bras, et Biscarat au travers de la cuisse. Mais comme ni l'une ni l'autre des deux blessures n'était grave, ils ne s'en escrimaient qu'avec plus d'acharnement.

Athos, blessé de nouveau par Cahusac, pâlissait à vue d'œil, mais il ne reculait pas d'une semelle : il avait seulement changé son épée de main, et se battait de la main gauche.

D'Artagnan, selon les lois du duel de cette époque, pouvait secourir quelqu'un ; pendant qu'il cherchait du regard celui de ses compagnons qui avait besoin de son aide, il surprit un coup d'œil d'Athos. Ce coup d'œil était d'une éloquence sublime. Athos serait mort plutôt que d'appeler au secours ; mais il pouvait regarder, et du regard demander un appui.

D'Artagnan le devina, fit un bond terrible, et tomba sur le flanc de Cahusac en criant :

– A moi, monsieur le garde, je vous tue !

Cahusac se retourna ; il était temps. Athos, que son extrême courage soutenait seul, tomba sur un genou.

– Sangdieu ! criait-il à d'Artagnan, ne le tuez pas, jeune homme, je vous en prie ; j'ai une vieille affaire à terminer avec lui, quand je serai guéri et bien portant. Désarmez-le seulement, liez-lui l'épée. C'est cela. Bien ! très bien !

Cette exclamation était arrachée à Athos par l'épée de Cahusac qui sautait à vingt pas de lui. D'Artagnan et Cahusac s'élancèrent ensemble, l'un pour la ressaisir, l'autre pour s'en emparer ; mais d'Artagnan, plus leste, arriva le premier et mit le pied dessus.

Cahusac courut à celui des gardes qu'avait tué Aramis, s'empara de sa rapière, et voulut revenir à d'Artagnan ; mais sur son chemin il rencontra Athos, qui, pendant cette pause d'un instant que lui avait procurée d'Artagnan, avait repris haleine, et qui, de crainte que d'Artagnan ne lui tuât son ennemi, voulait recommencer le combat.

D'Artagnan comprit que ce serait désobliger Athos que de ne pas le laisser faire. En effet, quelques secondes après, Cahusac tomba, la gorge traversée d'un coup d'épée.

Au même instant, Aramis appuyait son épée contre la poitrine de son adversaire renversé, et le forçait à demander merci.

Restaient Porthos et Biscarat, Porthos faisait mille fanfaronnades, demandant à Biscarat quelle heure il pouvait bien être, et lui faisait ses compliments sur la compagnie que venait d'obtenir son frère dans le régiment de Navarre ; mais, tout en raillant, il ne gagnait rien. Biscarat était un de ces hommes de fer qui ne tombent que morts.

Cependant il fallait en finir. Le guet pouvait arriver et prendre tous les combattants, blessés ou non, royalistes ou cardinalistes. Athos, Aramis et d'Artagnan entourèrent Biscarat et le sommèrent de se rendre. Quoique seul contre tous, et avec un coup d'épée qui lui traversait la cuisse, Biscarat voulait tenir ; mais Jussac, qui s'était relevé sur son coude, lui cria de se rendre. Biscarat était un Gascon comme d'Artagnan ; il fit la sourde oreille et se contenta de rire, et entre deux parades, trouvant le temps de désigner, du bout de son épée, une place à terre :

— Ici, dit-il, parodiant un verset de la Bible, ici mourra Biscarat, seul de ceux qui sont avec lui.

— Mais ils sont quatre contre toi ; finis-en, je te l'ordonne.

— Ah ! si tu l'ordonnes, c'est autre chose, dit Biscarat ; comme tu es mon brigadier, je dois obéir.

Et, en faisant un bond en arrière, il cassa son épée sur son genou pour ne pas la rendre, en jeta les morceaux par-dessus le mur du couvent et se croisa les bras en sifflant un air cardinaliste.

La bravoure est toujours respectée, même dans un ennemi.

Les mousquetaires saluèrent Biscarat de leurs épées et les remirent au fourreau. D'Artagnan en fit autant, puis, aidé de Biscarat, le seul qui fût resté debout, il porta sous le porche du couvent Jussac, Cahusac et celui des adversaires d'Aramis qui n'était que blessé. Le quatrième, comme nous l'avons dit, était mort. Puis ils sonnèrent la cloche, et, emportant quatre épées sur cinq, ils s'acheminèrent ivres de joie vers l'hôtel de M. de Tréville.

On les voyait entrelacés, tenant toute la largeur de la rue, et accostant chaque mousquetaire qu'ils rencontraient, si bien qu'à la fin ce fut une marche triomphale. Le cœur de d'Artagnan nageait dans l'ivresse, il marchait entre Athos et Porthos en les étreignant tendrement.

— Si je ne suis pas encore mousquetaire, dit-il à ses nouveaux amis en franchissant la porte de l'hôtel de M. de Tréville, au moins me voilà reçu apprenti, n'est-ce pas ?

Les Trois Mousquetaires, 1844

Vingt Ans après

Ce titre en dit long. Vingt ans après la fin des Mousquetaires, *nous sommes en 1648. La Fronde, révolte simultanée du peuple, des bourgeois et de l'aristocratie contre le ministre Mazarin, éclate. Le duc de Beaufort, opposant fameux, vient de s'évader — avec la complicité d'Athos et d'Aramis, ex-mousquetaires reconvertis dans la politique. D'Artagnan et Porthos courent à ses trousses.*

On courut dix minutes encore ainsi.

Soudain, deux points noirs se détachèrent de la masse, avancèrent, grossirent, et, à mesure qu'ils grossissaient, prirent la forme de deux cavaliers.

– Oh ! oh ! dit d'Artagnan, on vient à nous.

– Tant pis pour ceux qui viennent, dit Porthos.

– Qui va là ? cria une voix rauque.

Les trois cavaliers lancés ne s'arrêtèrent ni ne répondirent, seulement on entendit le bruit des épées qui sortaient du fourreau et le cliquetis des chiens de pistolet qu'armaient les deux fantômes noirs.

– Bride aux dents ! dit d'Artagnan.

Porthos comprit, et d'Artagnan et lui tirèrent chacun de la main gauche un pistolet de leurs fontes et l'armèrent à leur tour.

– Qui va là ? s'écria-t-on une seconde fois. Pas un pas de plus ou vous êtes morts !

– Bah ! répondit Porthos presque étranglé par la poussière et mâchant sa bride comme son cheval mâchait son mors, bah ! nous en avons vu bien d'autres !

A ces mots, les deux ombres barrèrent le chemin, et l'on vit, à la clarté des étoiles, reluire les canons des pistolets abaissés.

– Arrière ! cria d'Artagnan, ou c'est vous qui êtes morts !

Deux coups de pistolet répondirent à cette menace, mais les deux assaillants venaient avec une telle rapidité qu'au même instant ils furent sur leurs adversaires. Un troisième coup de pistolet retentit, tiré à bout portant par d'Artagnan, et son ennemi tomba. Quant à Porthos, il heurta le sien avec tant de violence que, quoique son épée

eût été détournée, il l'envoya du choc
rouler à dix pas de son cheval.
– Achève, Mousqueton, achève !
dit Porthos.

Et il s'élança en avant au côté
de son ami qui avait déjà repris
sa poursuite.
– Eh bien ? dit Porthos.
– Je lui ai cassé la tête, dit d'Artagnan ;
et vous ?
– Je l'ai renversé seulement ;
mais tenez...

On entendit un coup de carabine :
c'était Mousqueton qui, en passant,
exécutait l'ordre de son maître.
– Sus ! sus ! dit d'Artagnan ; cela va
bien et nous avons la première manche !
– Ah ! ah !
– Ah ! ah ! dit Porthos, voilà d'autres
joueurs.
En effet, deux autres cavaliers
apparaissaient détachés du groupe
principal, et s'avançaient rapidement
pour barrer de nouveau la route.

Cette fois, d'Artagnan n'attendit
pas même qu'on lui adressât la parole.
– Place ! cria-t-il le premier, place !
– Que voulez-vous ? dit une voix.
– Le duc ! hurlèrent à la fois Porthos
et d'Artagnan.

Un éclat de rire répondit, mais il
s'acheva dans un gémissement ;
d'Artagnan avait percé le rieur de part
en part avec son épée.

En même temps deux détonations
qui ne faisaient qu'un seul coup :
c'étaient Porthos et son adversaire qui
tiraient l'un sur l'autre.

D'Artagnan se retourna et vit
Porthos près de lui.
– Bravo ! Porthos, dit-il, vous l'avez
tué, ce me semble ?
– Je crois que je n'ai touché que le
cheval, dit Porthos.
– Que voulez-vous, mon cher, on ne

fait pas mouche à tous coups, et il ne
faut pas se plaindre quand on met dans
la carte. Hé ! parbleu ! Qu'a donc mon
cheval ?
– Votre cheval a qu'il s'abat, dit
Porthos en arrêtant le sien.

En effet, le cheval de d'Artagnan
butait et tombait sur les genoux, puis il
poussa un râle et se coucha.

Il avait reçu dans le poitrail la balle
du premier adversaire de d'Artagnan.

D'Artagnan poussa un juron à
faire éclater le ciel.
– Monsieur veut-il un cheval ?
dit Mousqueton.
– Pardieu ! si j'en veux un, cria
d'Artagnan.
– Voici, dit Mousqueton.
– Comment diable as-tu deux chevaux
de main ? dit d'Artagnan en sautant sur
l'un d'eux.
– Leurs maîtres sont morts : j'ai pensé
qu'ils pouvaient nous être utiles, et je
les ai pris.

Pendant ce temps Porthos avait
rechargé son pistolet.
– Alerte ! dit d'Artagnan, en voilà
deux autres.
– Ah çà, mais ! il y en aura donc
jusqu'à demain ! dit Porthos.

En effet, deux autres cavaliers
s'avançaient rapidement.
– Eh ! Monsieur, dit Mousqueton,
celui que vous avez renversé se relève.
– Pourquoi n'en as-tu pas fait autant
que du premier ?
– J'étais embarrassé, Monsieur,
je tenais les chevaux.

Un coup de feu partit,
Mousqueton jeta un cri de douleur.
– Ah ! Monsieur, cria-t-il, dans
l'autre ! juste dans l'autre ! Ce coup-là
fera le pendant de celui de la route
d'Amiens.

Porthos se retourna comme un

lion, fondit sur le cavalier démonté qui essaya de tirer son épée, mais avant qu'elle fût hors du fourreau, Porthos, du pommeau de la sienne, lui avait porté un si terrible coup sur la tête, qu'il était tombé comme un bœuf sous la masse du boucher.

Mousqueton, tout en gémissant, s'était laissé glisser le long de son cheval, la blessure qu'il avait reçue ne lui permettait pas de rester en selle.

En apercevant les cavaliers, d'Artagnan s'était arrêté et avait rechargé son pistolet ; de plus, son nouveau cheval avait une carabine à l'arçon de la selle.

– Me voilà ! dit Porthos, attendons-nous ou chargeons-nous ?

– Chargeons, dit d'Artagnan.

– Chargeons, dit Porthos.

Ils enfoncèrent leurs éperons dans le ventre de leurs chevaux.

Les cavaliers n'étaient plus qu'à vingt pas d'eux.

– De par le roi ! cria d'Artagnan, laissez-nous passer.

– Le roi n'a rien à faire ici ! répliqua une voix sombre et vibrante qui semblait sortir d'une nuée, car le cavalier arrivait enveloppé d'un tourbillon de poussière.

– C'est bien, nous verrons si le roi ne passe pas partout, reprit d'Artagnan.

– Voyez, dit la même voix.

Deux coups de pistolet partirent presque en même temps, un tiré par d'Artagnan, l'autre par l'adversaire de Porthos. La balle de d'Artagnan enleva le chapeau de son ennemi ; la balle de l'adversaire de Porthos traversa la gorge de son cheval, qui tomba raide en poussant un gémissement.

– Pour la dernière fois, où allez-vous ? dit la même voix.

– Au diable ! répondit d'Artagnan.

– Bon ! soyez tranquille alors, vous arriverez.

D'Artagnan vit s'abaisser vers lui le canon d'un mousquet ; il n'avait pas le temps de fouiller à ses fontes ; il se souvint d'un conseil que lui avait donné autrefois Athos. Il fit cabrer son cheval.

La balle frappa l'animal en plein ventre. D'Artagnan sentit qu'il manquait sous lui, et avec son agilité merveilleuse se jeta de côté.

– Ah çà, mais ! dit la même voix vibrante et railleuse, c'est une boucherie de chevaux et non un combat d'hommes que nous faisons là. A l'épée ! monsieur, à l'épée !

Et il sauta à bas de son cheval.

– A l'épée, soit, dit d'Artagnan, c'est mon affaire.

En deux bonds d'Artagnan fut contre son adversaire, dont il sentit le fer sur le sien. D'Artagnan, avec son adresse ordinaire, avait engagé l'épée en tierce, sa garde favorite.

Pendant ce temps, Porthos, agenouillé derrière son cheval, qui trépignait dans les convulsions de l'agonie, tenait un pistolet dans chaque main.

Cependant le combat était commencé entre d'Artagnan et son adversaire. D'Artagnan l'avait attaqué rudement, selon sa coutume ; mais cette fois il avait rencontré un jeu et un poignet qui le firent réfléchir. Deux fois ramené en quarte, d'Artagnan fit un pas en arrière ; son adversaire ne bougea point ; d'Artagnan revint et engagea de nouveau l'épée en tierce.

Deux ou trois coups furent portés de part et d'autre sans résultat, les étincelles jaillissaient par gerbes des épées.

Enfin, d'Artagnan pensa que c'était le moment d'utiliser sa feinte favorite ; il l'amena fort habilement, l'exécuta avec la rapidité de l'éclair, et porta le coup avec une vigueur qu'il croyait irrésistible.

Le coup fut paré.

– Mordious ! s'écria-t-il avec son accent gascon.

A cette exclamation, son adversaire bondit en arrière, et, penchant sa tête découverte, il s'efforça de distinguer à travers les ténèbres le visage de d'Artagnan.

Quant à d'Artagnan, craignant une feinte, il se tenait sur la défensive.

– Prenez garde, dit Porthos à son adversaire, j'ai encore mes deux pistolets chargés.

– Raison de plus pour que vous tiriez le premier, répondit celui-ci.

Porthos tira : un éclair illumina le champ de bataille.

À cette lueur, les deux autres combattants jetèrent chacun un cri.

– Athos ! dit d'Artagnan.

– D'Artagnan ! dit Athos.

Athos leva son épée, d'Artagnan baissa la sienne.

– Aramis ! cria Athos, ne tirez pas.

– Ah ! ah ! c'est vous, Aramis ? dit Porthos.

Et il jeta son pistolet.

Aramis repoussa le sien dans ses fontes et remit son épée au fourreau.

– Mon fils ! dit Athos en tendant la main à d'Artagnan.

C'était le nom qu'il lui donnait autrefois dans ses moments de tendresse.

– Athos, dit d'Artagnan en se tordant les mains, vous le défendez donc ? Et moi qui avais juré de le ramener mort ou vif ! Ah ! je suis déshonoré.

– Tuez-moi, dit Athos en découvrant sa poitrine, si votre honneur a besoin de ma mort.

– Oh ! malheur à moi ! s'écriait d'Artagnan, il n'y avait qu'un homme au monde qui pouvait m'arrêter, et il faut que la fatalité mette cet homme sur mon chemin ! Ah ! que dirai-je au cardinal ?

– Vous lui direz, monsieur, répondit une voix qui dominait le champ de bataille, qu'il avait envoyé contre moi les deux seuls hommes capables de renverser quatre hommes, de lutter corps à corps sans désavantage contre le comte de La Fère et le chevalier d'Herblay, et de ne se rendre qu'à cinquante hommes.

– Le prince ! dirent en même temps Athos et Aramis en faisant un mouvement pour démasquer le duc de Beaufort, tandis que d'Artagnan et Porthos faisaient de leur côté un pas en arrière.

– Cinquante cavaliers ! murmurèrent d'Artagnan et Porthos.

– Regardez autour de vous, messieurs, si vous en doutez, dit le duc.

D'Artagnan et Porthos regardèrent autour d'eux ; ils étaient en effet entièrement enveloppés par une troupe d'hommes à cheval.

– Au bruit de votre combat, dit le duc, j'ai cru que vous étiez vingt hommes, et je suis revenu avec tous ceux qui m'entouraient, las de toujours fuir, et désireux de tirer un peu l'épée à mon tour ! vous n'étiez que deux.

– Oui, Monseigneur, dit Athos, mais vous l'avez dit, deux qui en valent vingt.

Vingt Ans après, 1845

Le Vicomte de Bragelonne

Le Vicomte de Bragelonne, *dont l'action se situe après 1650, raconte la poursuite ordonnée par Louis XIV d'Aramis et de Porthos réfugiés à Belle-Isle. Dumas, enfermé dans son bureau, en écrivait au jour le jour les épisodes. Un ami, qui jouait le rôle de coursier, le vit un jour sortir en larmes en tendant son manuscrit : « J'ai dû faire mourir Porthos... »*

Au moment où Porthos, plus habitué à l'obscurité que tous ces hommes venant du jour, regardait autour de lui pour voir si, dans cette nuit, Aramis ne lui ferait pas quelque signal, il se sentit doucement toucher le bras, et une voix faible comme un souffle murmura tout bas à son oreille :

– Venez.

– Oh ! fit Porthos.

– Chut ! dit Aramis encore plus bas.

Et, au milieu du bruit de la troisième brigade, qui continuait d'avancer, au milieu des imprécations des gardes restés debout, des moribonds râlant leur dernier soupir, Aramis et Porthos glissèrent inaperçus le long des murailles granitiques de la caverne.

Aramis conduisit Porthos dans l'avant-dernier compartiment, et lui montra, dans un enfoncement de la muraille, un baril de poudre pesant soixante à quatre-vingts livres, auquel il venait d'attacher une mèche.

– Ami, dit-il à Porthos, vous allez prendre ce baril, dont je vais, moi, allumer la mèche, et vous le jetterez au milieu de nos ennemis ; le pouvez-vous ?

– Parbleu ! répliqua Porthos.

Et il souleva le petit tonneau d'une seule main.

– Allumez !

– Attendez, dit Aramis, qu'ils soient bien tous massés, et puis, mon Jupiter, lancez votre poudre au milieu d'eux.

– Allumez ! répéta Porthos.

– Moi, continua Aramis, je vais joindre nos Bretons et les aider à mettre le canot à la mer. Je vous attendrai au rivage ; lancez ferme et accourez à nous.

– Allumez ! dit une dernière fois Porthos.

– Vous avez compris ? dit Aramis.

– Parbleu ! dit encore Porthos, en riant d'un rire qu'il n'essayait pas même d'éteindre ; quand on m'explique, je comprends ; allez, et donnez-moi le feu.

Aramis donna l'amadou brûlant à Porthos, qui lui tendit son bras à serrer à défaut de la main.

Aramis serra de ses deux mains le bras de Porthos, et se replia jusqu'à l'issue de la caverne, où les trois rameurs l'attendaient.

Porthos, demeuré seul, approcha bravement l'amadou de la mèche.

L'amadou, faible étincelle, principe premier d'un immense incendie, brilla dans l'obscurité comme une luciole volante, puis vint à se souder à la mèche, qu'il enflamma, et dont Porthos activa la flamme avec son souffle.

La fumée s'était un peu dissipée, et, à la lueur de cette mèche pétillante, on put, pendant une ou deux secondes, distinguer les objets.

Ce fut un court mais splendide spectacle que celui de ce géant, pâle, sanglant et le visage éclairé par le feu de la mèche qui brûlait dans l'ombre.

Les soldats le virent. Ils virent ce baril qu'il tenait dans sa main. Ils comprirent ce qui allait se passer.

Alors, ces hommes, déjà pleins d'effroi à la vue de ce qui s'était accompli, pleins de terreur en songeant à ce qui allait s'accomplir, poussèrent tous à la fois un hurlement d'agonie.

Les uns essayèrent de s'enfuir, mais il rencontrèrent la troisième brigade qui leur barrait le chemin ; les autres, machinalement, mirent en joue et firent feu avec leurs mousquets déchargés ; d'autres enfin tombèrent à genoux.

Deux ou trois officiers crièrent à Porthos pour lui promettre la liberté s'il leur donnait la vie.

Le lieutenant de la troisième brigade criait de faire feu ; mais les gardes avaient devant eux leurs compagnons effarés qui servaient de rempart vivant à Porthos.

Nous l'avons dit, cette lumière produite par le souffle de Porthos sur l'amadou et la mèche ne dura que deux secondes ; mais, pendant ces deux secondes, voici ce qu'elle éclaira : d'abord le géant grandissant dans l'obscurité ; puis, à dix pas de lui, un amas de corps sanglants, écrasés, broyés, au milieu desquels vivait encore un dernier frémissement d'agonie qui soulevait la masse, comme une dernière respiration soulève les flancs d'un monstre informe expirant dans la nuit. Chaque souffle de Porthos, en ravivant la mèche, envoyait sur cet amas de cadavres un ton sulfureux, coupé de larges tranches de pourpre.

Outre ce groupe principal, semé dans la grotte selon que le hasard de la mort ou la surprise du coup les avait étendus, quelques cadavres isolés semblaient menacer par leurs blessures béantes.

Au-dessus de ce sol pétri d'une fange de sang montaient, mornes et scintillants, les piliers trapus de la caverne, dont les nuances, chaudement accentuées, poussaient en avant les parties lumineuses.

Et tout cela était vu au feu tremblotant d'une mèche correspondant à un baril de poudre, c'est-à-dire à une torche qui, en éclairant la mort passée, montrait la mort à venir.

Comme je l'ai dit, ce spectacle ne dura qu'une ou deux secondes. Pendant ce court espace de temps, un officier de la troisième brigade réunit huit gardes armés de mousquets, et, par une trouée, leur ordonna de faire feu sur Porthos.

Mais ceux qui recevaient l'ordre de

tirer tremblaient tellement qu'à cette décharge trois hommes tombèrent et que les cinq autres balles allèrent en sifflant rayer la voûte, sillonner la terre ou creuser les parois de la caverne.

Un éclat de rire répondit à ce tonnerre ; puis le bras du géant se balança, puis on vit passer dans l'air, pareille à une étoile filante, la traînée de feu.

Le baril, lancé à trente pas, franchit la barricade de cadavres, et alla tomber dans un groupe hurlant de soldats qui se jetèrent à plat ventre.

L'officier avait suivi en l'air la brillante traînée ; il voulut se précipiter sur le baril pour en arracher la mèche avant qu'elle atteignît la poudre qu'il recelait.

Dévouement inutile : l'air avait activé la flamme attachée au conducteur ; la mèche, qui, en repos, eût brûlé cinq minutes, se trouva dévorée en trente secondes, et l'œuvre infernale éclata.

Tourbillons furieux, sifflements du soufre et du nitre, ravages dévorants du feu qui creuse, tonnerre épouvantable de l'explosion, voilà ce que cette seconde, qui suivit les deux secondes que nous avons décrites, vit éclore dans cette caverne, égale en horreurs à une caverne de démons.

Les rochers se fendaient comme des planches de sapin sous la cognée. Un jet de feu, de fumée, de débris, s'élança du milieu de la grotte, s'élargissant à mesure qu'il montait. Les grands murs de silex s'inclinèrent pour se coucher dans le sable, et le sable lui-même, instrument de douleur lancé hors de ses couches durcies, alla cribler les visages avec ses myriades d'atomes blessants.

Les cris, les hurlements, les imprécations et les existences, tout

s'éteignit dans un immense fracas ; les trois premiers compartiments devinrent un gouffre dans lequel retomba un à un, suivant sa pesanteur, chaque débris végétal, minéral ou humain.

Puis le sable et la cendre, plus légers, tombèrent à leur tour, s'étendant comme un linceul grisâtre et fumant sur ces lugubres funérailles.

Et maintenant, cherchez dans ce brûlant tombeau, dans ce volcan souterrain, cherchez les gardes du roi aux habits bleus galonnés d'argent.

Cherchez les officiers brillants d'or, cherchez les armes sur lesquelles ils avaient compté pour se défendre, cherchez les pierres qui les ont tués ; cherchez le sol qui les portait.

Un seul homme a fait de tout cela un chaos plus confus, plus informe, plus terrible que le chaos qui existait une heure avant que Dieu eût eu l'idée de créer le monde.

Il ne resta rien des trois premiers compartiments, rien que Dieu lui-même pût reconnaître pour son ouvrage.

Quant à Porthos, après avoir lancé le baril de poudre au milieu des ennemis, il avait fui, selon le conseil d'Aramis, et gagné le dernier compartiment, dans lequel pénétraient, par l'ouverture, l'air, le jour et le soleil.

Aussi, à peine eût-il tourné l'angle qui séparait le troisième compartiment du quatrième, qu'il aperçut à cent pas de lui la barque balancée par les flots ; là étaient ses amis ; là était la liberté ; là était la vie après la victoire.

Encore six de ses formidables enjambées, et il était hors de la voûte ; hors de la voûte, deux ou trois vigoureux élans, et il touchait au canot.

Soudain, il sentit ses genoux

❝On heurtait un monceau de cadavres.❞

fléchir : ses genoux semblaient vides,
ses jambes mollissaient sous lui.

— Oh ! oh ! murmura-t-il étonné, voilà
que la fatigue me reprend ; voilà que je
ne peux plus marcher. Qu'est-ce à dire ?

À travers l'ouverture, Aramis
l'apercevait et ne comprenait pas
pourquoi il s'arrêtait ainsi.

— Venez, Porthos ! criait Aramis,
venez ! venez vite !

— Oh ! répondit le géant en faisant un
effort qui tendit inutilement tous les
muscles de son corps, je ne puis.

En disant ces mots, il tomba sur
ses genoux ; mais, de ses mains
robustes, il se cramponna aux roches
et se releva.

Vite ! vite ! répéta Aramis en se
courbant vers le rivage, comme pour
attirer Porthos avec ses bras.

— Me voici, balbutia Porthos en
réunissant toutes ses forces pour faire
un pas de plus.

— Au nom du ciel ! Porthos, arrivez !
arrivez ! le baril va sauter !

— Arrivez, monseigneur », crièrent les
Bretons à Porthos, qui se débattait
comme dans un rêve.

Mais il n'était plus temps :
l'explosion retentit, la terre se crevassa ;
la fumée, qui s'élança par les larges
fissures, obscurcit le ciel ; la mer reflua
comme chassée par le souffle de feu qui
jaillit de la grotte comme de la gueule
d'une gigantesque chimère ; le reflux
emporta la barque à vingt toises, toutes
les roches craquèrent à leur base, et se
séparèrent comme des quartiers sous
l'effort des coins ; on vit s'élancer une
portion de la voûte enlevée au ciel
comme par des fils rapides ; le feu rose
et vert du soufre, la noire lave des
liquéfactions argileuses se heurtèrent et
se combattirent un instant sous un
dôme majestueux de fumée ; puis on
vit osciller d'abord, puis se pencher,

66 Ce géant, pâle, sanglant... **99**

puis tomber successivement les longues
arêtes de rocher que la violence de
l'explosion n'avait pu déraciner de leurs
socles séculaires ; ils se saluaient les uns
les autres comme des vieillards graves et
lents, puis se prosternaient, couchés à
jamais dans leur poudreuse tombe.

Cet effroyable choc parut rendre
à Porthos les forces qu'il avait perdues ;
il se releva, géant lui-même entre ces
géants. Mais, au moment où il fuyait
entre la double haie de fantômes
granitiques, ces derniers, qui n'étaient
plus soutenus par les chaînons
correspondants, commencèrent à rouler
avec fracas autour de ce Titan qui
semblait précipité du ciel au milieu des
rochers qu'il venait de lancer contre lui.

Porthos sentit trembler sous ses
pieds le sol ébranlé par ce long
déchirement. Il étendit à droite et à
gauche ses vastes mains pour repousser

les rochers croulants. Un bloc gigantesque vint s'appuyer à chacune de ses paumes étendues ; il courba la tête, et une troisième masse granitique vint s'apesantir entre ses deux épaules.

Un instant, les bras de Porthos avaient plié ; mais l'hercule réunit toutes ses forces, et l'on vit les deux parois de cette prison dans laquelle il était enseveli s'écarter lentement et lui faire place. Un instant, il apparut dans cet encadrement de granit comme l'ange antique du chaos ; mais, en écartant les roches latérales, il ôta son point d'appui au monolithe qui pesait sur ses fortes épaules, et le monolithe, s'appuyant de tout son poids, précipita le géant sur ses genoux. Les roches latérales, un instant écartées, se rapprochèrent et vinrent ajouter leur poids au poids primitif, qui eût suffi pour écraser dix hommes.

Le géant tomba sans crier à l'aide ; il tomba en répondant à Aramis par des mots d'encouragement et d'espoir, car un instant, grâce au puissant arc-boutant de ses mains, il put croire que, comme Encelade, il secouerait ce triple poids. Mais, peu à peu, Aramis vit le bloc s'affaisser ; les mains crispées un instant, les bras roidis par un dernier effort plièrent, les épaules tendues s'affaissèrent déchirées, et la roche continua de s'abaisser graduellement.

– Porthos ! Porthos ! criait Aramis en s'arrachant les cheveux, Porthos, où es-tu ? Parle !

– Là ! là ! murmurait Porthos patience ! patience !

A peine acheva-t-il ce dernier mot : l'impulsion de la chute augmenta la pesanteur ; l'énorme roche s'abattit, pressée par les deux autres qui s'abattirent sur elle, et engloutit Porthos dans un sépulcre de pierres brisées.

En entendant la voix expirante de son ami, Aramis avait sauté à terre. Deux des Bretons le suivirent un levier à la main, un seul suffisant pour garder la barque. Les derniers râles du vaillant lutteur les guidèrent dans les décombres.

Aramis, étincelant, superbe, jeune comme à vingt ans, s'élança vers la triple masse, et de ses mains délicates comme des mains de femme, leva par un miracle de vigueur un coin de l'immense sépulcre de granit. Alors, il entrevit dans les ténèbres de cette fosse l'œil encore brillant de son ami, à qui la masse soulevée un instant venait de rendre la respiration. Aussitôt les deux hommes se précipitèrent, se cramponnèrent au levier de fer, réunissant leur triple effort, non pas pour le soulever, mais pour le maintenir. Tout fut inutile : les trois hommes plièrent lentement avec des cris de douleur, et la rude voix de Porthos les voyant s'épuiser dans une lutte inutile murmura d'un ton railleur ces mots suprêmes venus jusqu'aux lèvres avec la suprême respiration :

– Trop lourd !

Après quoi, l'œil s'obscurcit et se ferma, le visage devint pâle, la main blanchit, et le Titan se coucha, poussant un dernier soupir.

Avec lui s'affaissa la roche, que, même dans son agonie, il avait soutenue encore !

Les trois hommes laissèrent échapper le levier qui roula sur la pierre tumulaire.

Puis, haletant, pâle, la sueur au front, Aramis écouta, la poitrine serrée, le cœur prêt à se rompre.

Plus rien ! Le géant dormait de l'éternel sommeil dans le sépulcre que Dieu lui avait fait à sa taille.

Le Vicomte de Bragelonne, 1848-1850

Joseph Balsamo

Dumas s'est toujours intéressé aux sociétés secrètes — il était lui-même quelque peu franc-maçon. Il met donc la franc-maçonnerie en scène dans Joseph Balsamo, *roman de la fin du règne de Louis XV. Commencée avec* Joseph Balsamo, *la trilogie se poursuivra avec* le Collier de la Reine *et* Ange Pitou, *pour arriver à la Révolution, et rebondir avec* le Chevalier de Maison-Rouge.

— Et maintenant, continua le président, ceignez le front du récipiendaire avec la bandelette sacrée.

Deux fantômes s'approchèrent de l'inconnu, qui inclina la tête : l'un d'eux lui appliqua sur le front un ruban aurore chargé de caractères argentés, entremêlés de la figure de Notre-Dame de Lorette, l'autre en noua derrière lui les deux bouts à la naissance du col.

Puis ils s'écartèrent en laissant de nouveau l'inconnu seul.

— Que demandes-tu ? lui dit le président.
— Trois choses, répondit le récipiendaire.
— Lesquelles ?
— La main de fer, le glaive de feu, les balances de diamant.
— Pourquoi désires-tu la main de fer ?
— Pour étouffer la tyrannie.
— Pourquoi désires-tu le glaive de feu ?
— Pour chasser l'impur de la terre.
— Pourquoi désires-tu les balances de diamant ?
— Pour peser les destins de l'humanité.
— Es-tu préparé pour les épreuves ?
— Le fort est préparé à tout.
— Les épreuves ! les épreuves ! s'écrièrent plusieurs voix.
— Retourne-toi, dit le président.

L'inconnu obéit et se trouva en face d'un homme pâle comme la mort, garrotté et bâillonné.

— Que vois-tu ? demanda le président.
— Un criminel ou une victime.
— C'est un traître qui, après avoir fait le serment que tu as fait, a révélé le secret de l'Ordre.
— C'est un criminel alors.
— Oui : Quel châtiment a-t-il encouru ?
— La mort.

Les trois cents fantômes

« *Ego sum qui sum*, dit-il... »

répétèrent : « La mort ! »

Au même instant le condamné, malgré des efforts surhumains, fut entraîné dans les profondeurs de la salle : le voyageur le vit se débattre et se tordre aux mains de ses bourreaux ; il entendit sa voix sifflante à travers l'obstacle du bâillon. Un poignard étincela, reflétant comme un éclair la lueur des lampes, puis on entendit frapper un coup mat, et le bruit d'un corps tombant lourdement sur le sol retentit sourd et funèbre.

« Justice est faite », dit l'inconnu en se retournant vers le cercle effrayant, dont les regards avides avaient, à travers leurs suaires, dévoré ce spectacle.

– Ainsi, dit le président, tu approuves l'exécution qui vient d'avoir lieu ?

– Oui, si celui qui vient d'être frappé fut véritablement coupable.

– Et tu boirais à la mort de tout homme qui, comme lui, trahirait les secrets de l'association sainte ?

– J'y boirais.

– Quelle que fût la boisson ?

– Quelle qu'elle fût.

L'un des deux bourreaux s'approcha alors du récipiendaire et lui présenta une liqueur rouge et tiède dans un crâne humain monté sur un pied de bronze.

L'inconnu prit la coupe des mains du bourreau, et la levant au-dessus de sa tête :

— Je bois, dit-il, à la mort de tout homme qui trahira les secrets de l'association sainte.

Puis, abaissant la coupe à la hauteur de ses lèvres, il la vida jusqu'à la dernière goutte et la rendit froidement à celui qui la lui avait présentée.

Un murmure d'étonnement courut par l'assemblée, et les fantômes semblèrent se regarder entre eux à travers leurs linceuls.

— C'est bien, dit le président. Le pistolet.

Un fantôme s'approcha du président, tenant d'une main un pistolet et de l'autre une balle de plomb et une charge de poudre.

A peine le récipiendaire daigna-t-il tourner les yeux de son côté.

— Tu promets donc obéissance passive à l'association sainte ? demanda le président.

— Oui.

— Même si cette obéissance devait s'exercer sur toi-même ?

— Celui qui entre ici n'est pas à lui, il est à tous.

— Ainsi, quelque ordre qu'il te soit donné par moi, tu obéiras ?

— J'obéirai.

— A l'instant même ?

— A l'instant même.

— Sans hésitation ?

— Sans hésitation.

— Prends ce pistolet et charge-le.

❝Tu connais nos mystères ! s'écria le président !❞

L'inconnu prit le pistolet, fit glisser la poudre dans le canon, l'assujettit avec une bourre, puis laissa tomber la balle, qu'il assura avec une seconde bourre, après quoi il amorça l'arme.

Tous les sombres habitants de l'étrange demeure le regardaient avec un morne silence, qui n'était interrompu que par le bruit du vent se brisant aux angles des arceaux rompus.

— Le pistolet est chargé, dit froidement l'inconnu.

— En es-tu sûr ? demanda le président.

Un sourire passa sur les lèvres du récipiendaire, qui tira la baguette et la laissa couler dans le canon de l'arme qu'elle dépassa de deux pouces.

Le président s'inclina en signe qu'il était convaincu.

— Oui, dit-il, il est en effet chargé et bien chargé.

— Que dois-je en faire ? demanda l'inconnu.

— Arme-le.

L'inconnu arma le pistolet, et l'on entendit au milieu du profond silence qui accompagnait les intervalles du

dialogue le craquement du chien.

– Maintenant, reprit le président, appuie la bouche du pistolet contre ton front.

Le récipiendaire obéit sans hésiter.

Le silence s'établit sur l'assemblée plus profond que jamais ; les lampes semblèrent pâlir, ces fantômes, étaient bien véritablement des fantômes, car pas un n'avait d'haleine.

«Feu», dit le président.

La détente partit, la pierre étincela sur la batterie ; mais la poudre du bassinet seule prit feu, et aucun bruit n'accompagna sa flamme éphémère.

Un cri d'admiration s'échappa de presque toutes les poitrines, et le président, par un mouvement instinctif, étendit la main vers l'inconnu.

Mais deux épreuves ne suffisaient point aux plus difficiles, et quelques voix crièrent :

– Le poignard ! le poignard !

– Vous l'exigez ? demanda le président.

– Oui, le poignard ! le poignard ! reprirent les mêmes voix.

– Apportez donc le poignard, dit le président.

– C'est inutile, fit l'inconnu, en secouant la tête d'un air de dédain.

– Comment inutile ? s'écria l'assemblée.

– Oui, inutile, reprit le récipiendaire d'une voix qui couvrait toutes les voix, inutile, je vous le répète, car vous perdez un temps précieux.

– Que dites-vous là ? s'écria le président.

– Je dis que je sais tous vos secrets, que ces épreuves que vous me faites subir sont des jeux d'enfant, indignes d'occuper un instant des êtres sérieux. Je dis que cet homme assassiné n'est point mort ; je dis que ce sang que j'ai bu était du vin renfermé dans une outre aplatie sur sa poitrine et cachée sous ses vêtements ; je dis que la poudre et les balles de ce pistolet sont tombées dans la crosse au moment où, en armant le chien, j'ai fait jouer la bascule qui les engloutit. Reprenez donc votre arme impuissante, bonne à effrayer les lâches. Relève-toi donc, cadavre menteur : tu n'épouvanteras pas les forts.

Un cri terrible fit retentir les voûtes.

– Tu connais nos mystères ! s'écria le président ; tu es donc un voyant ou un traître ?

– Qui es-tu ? demandèrent ensemble trois cents voix, en même temps que vingt épées étincelaient aux mains des fantômes les plus proches, et par un mouvement régulier, comme eût été celui d'une phalange exercée, venaient s'abaisser et se réunir sur la poitrine de l'inconnu.

Mais lui, souriant, calme, relevant la tête en secouant sa chevelure sans poudre, et retenue par un seul ruban qu'on avait noué autour de son front :

« Ego sum qui sum, dit-il, *je suis celui qui est. »*

Joseph Balsamo, 1846-1848

Le Comte de Monte-Cristo

En général, les trésors se trouvent à la fin de l'histoire. Dans Monte-Cristo, Edmond Dantès découvre, au milieu du premier volume, le capital qui va lui permettre de se venger de tous ses ennemis. Ce faisant, il réalise le rêve de Dumas; cesser de travailler pour vivre, et ne plus vivre que pour jouer.

Il frappa de nouveau et avec plus de force.

Alors il vit une chose singulière, c'est que, sous les coups de l'instrument, une espèce d'enduit, pareil à celui qu'on applique sur les murailles pour peindre à fresque, se soulevait et tombait en écailles, découvrant une pierre blanchâtre et molle, pareille à nos pierres de taille ordinaires. On avait fermé l'ouverture du rocher avec des pierres d'une autre nature, puis on avait étendu sur ces pierres cet enduit, puis sur cet enduit on avait imité la teinte et le cristallin du granit.

Dantès frappa alors par le bout aigu de la pioche, qui entra d'un pouce dans la porte-muraille.

C'était là qu'il fallait fouiller.

Par un mystère étrange de l'organisation humaine, plus les preuves que Faria ne s'était pas trompé devaient, en s'accumulant, rassurer Dantès, plus son cœur défaillant se laissait aller au doute et presque au découragement: cette nouvelle expérience, qui aurait dû lui donner une force nouvelle, lui ôta la force qui lui restait: la pioche descendit, s'échappant presque de ses mains; il la posa sur le sol, s'essuya le front et remonta vers le jour, se donnant à lui-même le prétexte de voir si personne ne l'épiait, mais, en réalité, parce qu'il avait besoin d'air, parce qu'il sentait qu'il allait s'évanouir.

L'île était déserte, et le soleil à son zénith semblait la couvrir de son œil de feu; au loin, de petites barques de pêcheurs ouvraient leurs ailes sur la mer d'un bleu de saphir.

Dantès n'avait encore rien pris: mais c'était bien long de manger dans un pareil moment; il avala une gorgée

66 ... Dantès entre la suprême joie et le suprême désespoir. **99**

de rhum et rentra dans la grotte le cœur raffermi.

La pioche qui lui avait semblé si lourde était redevenue légère ; il la souleva comme il eût fait d'une plume, et se remit vigoureusement à la besogne.

Après quelques coups, il s'aperçut que les pierres n'étaient point scellées, mais seulement posées les unes sur les autres et recouvertes de l'enduit dont nous avons parlé ; il introduisit dans une des fissures la pointe de la pioche, pesa sur le manche et vit avec joie la pierre tomber à ses pieds.

Dès lors, Dantès n'eut plus qu'à tirer chaque pierre à lui avec la dent de fer de la pioche, et chaque pierre à son tour tomba près de la première.

Dès la première ouverture, Dantès eût pu entrer ; mais en tardant de quelques instants, c'était retarder la certitude en se cramponnant à l'espérance.

Enfin, après une nouvelle hésitation d'un instant, Dantès passa de cette première grotte dans la seconde.

Cette seconde grotte était plus basse, plus sombre et d'un aspect plus effrayant que la première ; l'air, qui n'y pénétrait que par l'ouverture pratiquée à l'instant même, avait cette odeur méphitique que Dantès s'était étonné de ne pas trouver dans la première.

Dantès donna le temps à l'air extérieur d'aller raviver cette atmosphère morte, et entra.

A gauche de l'ouverture, était un angle profond et sombre.

Mais, nous l'avons dit, pour l'œil de Dantès il n'y avait pas de ténèbres.

Il sonda du regard la seconde grotte : elle était vide comme la première.

Le trésor, s'il existait, était enterré dans cet angle sombre.

L'heure de l'angoisse était arrivée ; deux pieds de terre à fouiller, c'était tout ce qui restait à Dantès entre la suprême joie et le suprême désespoir.

Il s'avança vers l'angle, et, comme pris d'une résolution subite, il attaqua le sol hardiment.

Au cinquième ou sixième coup de pioche, le fer résonna sur du fer.

Jamais tocsin funèbre, jamais glas frémissant ne produisit pareil effet sur celui qui l'entendit. Dantès n'aurait rien rencontré qu'il ne fût certes pas devenu plus pâle.

Il sonda à côté de l'endroit où il avait sondé déjà, et rencontra la même résistance mais non pas le même son.
– C'est un coffre de bois, cerclé de fer, dit-il.

Le Comte de Monte-Cristo, 1844-1845

Les Mohicans de Paris

Dumas, faisant la synthèse de Fenimore Cooper et d'Eugène Sue, lance son lecteur dans le Paris populaire du XIXᵉ siècle, plus féroce que les forêts du Nouveau Monde, au milieu de mohicans d'un nouveau genre — ceux qu'on appellera des «apaches» au début du XXᵉ siècle. Avec Sue, Dumas et Hugo, le «peuple des abîmes» entre en littérature.

– Monsieur Salvator ! répéta la foule ; ah ! soyez le bienvenu : ça allait mal tourner !

– M. Salvator ? murmurèrent à la fois Jean Robert, Pétrus et Ludovic. Qu'est-ce que cela ?

– Voilà un gaillard dont le nom est de bon augure, ajouta Pétrus : voyons s'il fera honneur à son nom.

Le personnage qui, pareil au dieu antique, était intervenu si miraculeusement pour substituer, selon toute probabilité, un dénouement pacifique à une sanglante péripétie, et qui semblait, lui aussi, être sorti d'une machine, tant son apparition était imprévue et instantanée, semblait un homme de trente ans, à peu près.

C'était bien, en effet, au moment où il apparut, et où il promena son regard dominateur sur la foule, le mâle et doux visage de l'homme à cette trentième année de la vie, où la beauté est dans toute sa force et la force dans toute la beauté.

Un instant plus tard, il eût été fort embarrassant, pour ne pas dire impossible, de lui assigner un âge positif, à dix ans près.

Son front avait bien la candeur et la sérénité de la jeunesse, quand son regard errait autour de lui curieux et bienveillant ; mais, dès que le spectacle que rencontraient ses regards lui inspirait le dégoût, ses sourcils noirs se fronçaient, et son front, couvert de rides, empruntait l'aspect de la virilité.

Ainsi, lorsque, après avoir arrêté le bras du charpentier, et lui avoir, par la simple pression de sa main, fait lâcher l'arme dont il menaçait son adversaire ; lorsque, après avoir jeté un coup d'œil rapide sur les trois jeunes gens, et les avoir reconnus pour des hommes du monde égarés dans un mauvais lieu,

66 ... après avoir arrêté le bras du charpentier... **99**

il acheva d'embrasser le cercle dont il n'avait encore parcouru que la moitié, et qu'il vit le ravageur étendu sur une table, la figure ouverte ; les habits du maçon marqués de larges taches de sang ; le charbonnier pâle sous son masque noir, et le tueur de chats, les deux mains sur son côté, criant qu'il était mort, cette vue à laquelle il devait, cependant, s'attendre imprima sur toute sa physionomie un air de rudesse et de sévérité qui fit baisser la tête aux plus farouches, et pâlir les plus avinés.

Comme c'est le héros principal de notre histoire que nous venons de mettre en scène, il faut que nos lecteurs nous permettent de faire pour lui ce que nous avons fait pour des personnages bien moins importants, c'est-à-dire de leur donner la description la plus exacte possible de sa personne.

C'était d'abord, comme nous l'avons dit, un homme de trente ans, *ou à peu près.*

Ses cheveux noirs étaient souples et bouclés ; ce qui les faisait paraître moins longs qu'ils n'étaient en réalité, et que si, dans toute leur longueur,

ils fussent retombés sur ses épaules ; ses yeux étaient bleus, doux, limpides, clairs comme l'eau d'un lac, et, de même que l'eau du lac, à laquelle nous venons de les comparer, réfléchit le ciel, les yeux du jeune homme au nom sonore et doux semblaient être le miroir où se reflétaient les plus sereines pensées de l'âme.

L'ovale de son visage était d'une pureté raphaélesque ; rien n'en troublait le contour gracieux, et l'on en suivait les lignes harmonieuses avec cette joie ineffable que l'on éprouve à la vue de la courbe suave qu'aux premiers jours de mai le soleil levant profile à l'horizon.

Le nez était droit et fort sans être trop largement accusé ; la bouche était petite, bien meublée, et fine en apparence ; car, sous la moustache noire qui l'ombrageait, il était impossible d'en apercevoir exactement le dessin.

Son visage, plutôt mat que pâle, était entouré d'une barbe noire et fournie, quoique peu épaisse ; les ciseaux ou le rasoir n'avaient, certainement, jamais passé par là : c'était le poil follet dans toute sa ténuité, la barbe vierge dans toute sa grâce, soyeuse et clairsemée, adoucissant les traits au lieu de les durcir.

Mais ce qu'il y avait surtout de frappant dans ce jeune homme, c'était le ton blanc, c'était la mateur de sa peau ; ce ton n'était, en effet, ni la pâleur blanche du débauché, ni la pâleur livide du criminel : pour donner une idée de la blancheur immaculée de ce visage, nous ne trouverons d'image et de comparaison que dans la pâleur mélancolique et lumineuse de la lune, dans les pétales transparents du lotus blanc, dans la neige intacte qui couronne le front de l'Himalaya.

Les Mohicans de Paris, 1854-1855

Impressions de voyage en Suisse

C'est pour se remettre du choléra que Dumas part en Suisse, en 1832, respirer l'air des cimes — le plus souvent à pied. Il raconte dans ses Mémoires *que cette histoire de bifteck d'ours valut à l'aubergiste suisse une réputation mondiale — peut-être totalement usurpée, car dans ce guide touristique avant la lettre, tout n'est peut-être pas rigoureusement exact.*

Lorsque je rentrai, les voyageurs étaient à table : je jetai un coup d'œil rapide et inquiet sur les convives ; toutes les chaises se touchaient et toutes étaient occupées, je n'avais pas de place !...

Un frisson me courut par tout le corps, je me retournai pour chercher mon hôte. Il était derrière moi. Je trouvai à sa figure une expression méphistophélique. Il souriait...

– Et moi, lui dis-je, et moi, malheureux ?...

– Tenez, me dit-il en m'indiquant du doigt une petite table à part, tenez, voici votre place ; un homme comme vous ne doit pas manger avec tous ces gens-là.

Oh ! le digne Octodurois ! et je l'avais soupçonné !...

C'est qu'elle était merveilleusement servie, ma petite table. Quatre plats formaient le premier service, et au milieu était un bifteck d'une mine à faire honte à un bifteck anglais !...

Mon hôte vit que ce bifteck absorbait mon attention. Il se pencha mystérieusement à mon oreille :

– Il n'y en aura pas de pareil pour tout le monde, me dit-il.

– Qu'est-ce donc que ce bifteck ?

– Du filet d'ours ! Rien que cela !

J'aurais autant aimé qu'il me laissât croire que c'était du filet de bœuf.

Je regardais machinalement ce mets si vanté, qui me rappelait ces malheureuses bêtes que, tout petit, j'avais vues, rugissantes et crottées, avec une chaîne au nez et un homme au bout de la chaîne, danser lourdement, à cheval sur un bâton, comme l'enfant de Virgile ; j'entendais le bruit mat du tambour sur lequel l'homme frappait, le son aigu du flageolet dans lequel il

❝Monsieur Dumas précédé en Russie par sa réputation de mangeur d'ours.**❞**

soufflait ; et tout cela ne me donnait pas, pour la chair tant vantée que j'avais devant les yeux, une sympathie bien dévorante. J'avais pris le bifteck sur mon assiette, et j'avais senti, à la manière triomphante dont ma fourchette s'y était plantée, qu'il possédait au moins cette qualité qui devait rendre les moutons de mademoiselle Scudéri si malheureux. Cependant j'hésitais toujours, le tournant et retournant sur les deux faces rissolées, lorsque mon hôte, qui me regardait sans rien comprendre à mon hésitation, me détermina par un dernier : « Goûtez-moi cela et vous m'en direz des nouvelles. »

En effet, j'en coupai un morceau gros comme une olive, je l'imprégnai d'autant de beurre qu'il était capable d'en éponger, et, en écartant mes lèvres, je le portai à mes dents, plutôt par mauvaise honte que dans l'espoir de vaincre ma répugnance. Mon hôte, debout derrière moi, suivait tous mes mouvements, avec l'impatience bienveillante d'un homme qui se fait un bonheur de la surprise que l'on va éprouver. La mienne fut grande, je l'avoue. Cependant, je n'osai tout à coup manifester mon opinion, je craignais de m'être trompé ; je recoupai silencieusement un second morceau d'un volume double à peu près du premier, je lui fis prendre la même route avec les mêmes précautions, et, quand il fut avalé :

— Comment ! c'est de l'ours ? dis-je.
— De l'ours.
— Vraiment ?
— Parole d'honneur.
— Eh bien, c'est excellent !

Au même instant, on appela à la grande table mon digne hôte, qui, rassuré par la certitude que j'avais fait honneur à son mets favori, me laissa en tête à tête avec mon bifteck. Les trois-quarts avaient déjà disparu lorsqu'il revint, et, reprenant la conversation où il l'avait interrompue :

— C'est, me dit-il, que l'animal auquel vous avez affaire était une fameuse bête.

J'approuvai d'un signe de tête.

— Pesant trois cent vingt !
— Beau poids !

Je ne perdais pas un coup de dent.

— Qu'on n'a pas eu sans peine, je vous en réponds.
— Je crois bien !

Je portai mon dernier morceau à ma bouche.

— Ce gaillard-là a mangé la moitié du chasseur qui l'a tué.

Le morceau me sortit de la bouche comme repoussé par un ressort.

— Que le diable vous emporte, dis-je en me retournant de son côté, de faire de pareilles plaisanteries à un homme qui dîne !...

— Je ne plaisante pas, monsieur, c'est vrai comme je vous le dis.

Je sentais mon estomac se retourner.

Impressions de voyage en Suisse, 1835

Le Véloce

Le Véloce, c'est le bateau á bord duquel Dumas visita l'Espagne et l'Afrique du Nord. A une époque où toute la France s'enthousiasmait (depuis 1829) pour la conquête de l'Algérie, le témoignage de Dumas dissone : mais la mission première du « grand reporter », comme on ne disait pas en 1848, n'est-elle pas de témoigner de ce qui est, au lieu de raconter ce que ses lecteurs ont envie de lire ?

Une chose qui ne contribuera point à rapprocher les Français des Arabes, c'est notre façon de rendre la justice.

Exemple :

Deux propriétés se touchent : elles ont des limites notoirement connues, connues de tout le monde.

C'est bien. En vertu de cette notoriété, l'Arabe croit n'avoir rien à craindre.

Au lieu de bâtir sur son champ, l'Européen bâtit sur le champ de son voisin.

L'Arabe, qui a bonne envie de se faire justice lui-même, ne l'essaie même pas ; car la chose lui est formellement défendue.

Il va trouver le chef du bureau arabe de la ville ou de la contrée.

Il lui expose son cas. Le chef du bureau s'assure par ses yeux du bon droit de l'Arabe ; mais comme il faut mettre des procédés dans les relations, il écrit au Français que c'est par erreur sans doute qu'il a bâti sur un terrain qui ne lui appartient pas.

L'empiéteur reçoit la lettre ; mais comme lui n'est pas forcé d'être poli, il ne se donne pas même la peine d'y répondre.

L'Arabe qui voit la démarche sans résultat, et que son voisin met tous les jours de nouvelles pierres sur les anciennes, l'Arabe revient au chef du bureau et renouvelle sa plainte.

Le chef du bureau lui répond qu'il a fait tout ce qu'il a pu faire, et le renvoie au juge de paix.

Le juge de paix cite les deux parties en conciliation ; le Français fait défaut. Le magistrat s'assure que l'Arabe est dans son droit, et donne à l'Européen l'ordre de quitter le terrain.

L'Arabe rentre chez lui satisfait, et raconte à la veillée qu'il y a de la justice dans le gouvernement des Français, et que le cadi a donné l'ordre à l'envahisseur de déguerpir.

En conséquence, comme l'Arabe ne sait pas ce que c'est que le pétitoire et le possessoire, que d'ailleurs il ne comprend pas qu'on désobeisse à un ordre du cadi, il attend tranquillement que l'Européen déguerpisse, ce qui, à son avis, ne peut pas manquer.

Huit jours se passent.

Dans sa simplicité, l'Arabe croit qu'une punition va tomber sur celui qui n'obéit ni au gouvernement militaire ni à la justice civile.

Mais comme le temps s'écoule, que la maison monte toujours, que le voisin n'est pas puni, le plaignant retourne au bureau arabe et raconte, comme une chose inouïe, que le Français, malgré l'avertissement du chef du bureau, malgré le jugement du cadi, non seulement n'a pas quitté les lieux, mais encore continue de bâtir.

L'Arabe demande un conseil.

Le chef du bureau conseille à l'Arabe de s'adresser au tribunal de première instance.

L'Arabe s'adresse au tribunal de première instance, et là il apprend qu'avant toutes choses il doit se munir d'un avocat.

L'Arabe se met en quête de cet objet inconnu, le trouve, et s'informe à lui de quelle façon il doit procéder pour rentrer dans son bien.

L'avocat lui répond que rien n'est plus facile, que la cause est excellente, mais qu'il doit d'abord donner vingt-cinq francs.

Le plaignant répond qu'il repassera, et se rend au bureau arabe pour savoir si réellement il doit donner les vingt-cinq francs demandés.

Le chef du bureau lui répond qu'en effet c'est l'habitude. Le plaignant demande comment il se fait qu'il soit obligé de donner vingt-cinq francs à un homme qu'il ne connaît pas et auquel il ne doit rien, parce qu'un autre homme qu'il ne connaît guère davantage est venu lui prendre son champ.

Le chef du bureau arabe cherche une bonne raison, n'en trouve pas et répond :
– C'est l'habitude.

Du moment où celui en qui il a toute confiance lui dit que c'est l'habitude, l'Arabe lève la pierre sous laquelle est caché son argent, en tire cinq douros et va les porter à l'avocat, auquel il les compte un à un, en accompagnant chacun d'eux d'un soupir.

L'avocat attaque alors l'Européen en première instance.

Nous supposons que l'interprète

Un Amateur partant pour Alger.

est bon, que le juge sait de quel endroit on lui parle, et qu'il rende en première instance un jugement qui ordonne au défendeur de vider les lieux.

L'Arabe a gagné son procès.

Le jugement lui a coûté cinq douros, c'est vrai, mais enfin l'agha lui a rendu justice, le cadi lui a rendu justice, les medjèles lui ont rendu justice, il a eu trois fois raison. Première fois devant le chef du bureau arabe, deuxième fois devant le juge de paix, troisième fois devant le juge de première instance.

Il est donc matériellement impossible qu'il ne rentre pas en possession de son champ. Il raconte cela à la veillée, disant que c'est une vérité que le sultan des Français n'a que des enfants en Algérie, les uns musulmans, les autres Français.

Pendant quinze jours, il attend que l'Européen se retire, l'Européen reste ; que la maison s'arrête, la maison continue de monter.

Le seizième jour, il est assigné en appel.

Il apporte au bureau arabe le papier écrit de gauche à droite, au lieu d'être écrit de droite à gauche, écrit en petites lettres au lieu d'être écrit en grosses lettres, et il demande ce que cela veut dire.

Le chef du bureau arabe lui répond que son voisin trouve qu'on l'a mal jugé et l'assigne devant un nouveau tribunal.

L'Arabe s'informe de ce qu'il a à faire.

Il faut qu'il aille à Alger, mais pour lui faciliter les démarches à faire, le chef du bureau arabe lui donne une lettre pour un avocat d'appel.

Celui-là est dans la métropole, il demande quatre-vingts francs, seize douros au lieu de cinq.

L'Arabe est stupéfait de cette nouvelle prétention, cependant il se décide, tire les seize douros de sa poche, les donne à l'avocat et lui recommande son procès.

Le procès est imperdable, aussi l'avocat le gagne. L'empiéteur est condamné à la restitution du champ et aux frais du procès ; l'Arabe va rentrer dans sa terre et dans ses déboursés.

Il revient chez lui et attend.

La maison monte toujours ; on en est au faîtage : quant aux déboursés, au lieu de rentrer dedans, l'Arabe reçoit un nouveau papier timbré.

C'est un appel en cassation.

Le procès dure depuis un an ; l'Arabe, occupé de son procès, n'a pas ensemencé son champ et par conséquent a perdu sa récolte. Il a cent cinquante francs à donner à l'avocat en cassation, au lieu des quatre-vingts qu'il a donnés à l'avocat d'appel. Il faut en outre qu'il fasse le voyage de Paris s'il veut suivre son procès. Il abandonne champ et maison, et s'enfuit, disant que chrétiens, gouvernement et particulier se liguent pour le dépouiller.

Au bout de trois ans, l'Européen fait valider sa possession et se trouve maître légitime de la maison et du terrain.

Si la justice avait été rendue par les Turcs, voici ce qui se serait passé.

L'Arabe aurait choisi un jour de marché et serait venu se plaindre au caïd. Le caïd aurait envoyé les parties devant le cadi. Le cadi, séance tenante, aurait fait venir les anciens du pays pour savoir d'eux de quel côté était le bon droit.

Les anciens du pays auraient porté témoignage ; le voleur eût reçu cinquante coups de bâton sous la plante des pieds, et tout eût été dit.

Le Véloce, 1848-1851

Kean vu par Dumas

Edmond Kean fut l'un des plus grands acteurs du théâtre anglais entre 1800 et 1830. Dumas le vit à Paris jouer Shakespeare, vers 1826. Peu après, Kean devint fou, incapable de distinguer sa vie et ses rôles. C'était là un sujet en or que Dumas porta à la scène dès 1836, peu de temps après la mort de l'acteur, avec Frédéric Lemaître, vraie bête de scène, dans le rôle.

ANNA. – Me voilà donc venue chez lui !... Aurai-je le courage de lui dire ce qui m'amène ?... Oh ! mon Dieu ! mon Dieu !... donne-moi de la force, car je me sens mourir !

KEAN, *rentrant avec un habit.* – Vous m'avez fait l'honneur de m'écrire, miss... Puis-je être assez heureux pour vous être bon à quelque chose, assez favorisé du ciel pour me trouver en position de vous être utile ?

ANNA, *à part.* – Oh ! c'est sa voix !
(Haut.) Excusez mon trouble, monsieur, il est bien naturel ; et, si modeste que vous soyez, vous comprendrez que votre réputation, votre talent, votre génie...

KEAN. – Madame...

ANNA. – ...m'effrayent encore plus que votre accueil ne me rassure... On vous dit cependant aussi bon que grand... Si vous n'eussiez été que grand, je ne serais pas venue à vous.
Elle lève son voile. Ils s'asseyent.

KEAN, *faisant un signe.* – Vous m'avez dit que je pourrais vous rendre un service ; mon désir de vous le rendre est grand, miss, et cependant j'hésite à vous presser... Un service est sitôt rendu !

ANNA. – Oui, vous avez deviné juste, monsieur, et j'attends beaucoup de vous ; il s'agit de mon bonheur, de mon avenir, de ma vie peut-être.

KEAN. – Votre bonheur ? Oh ! vous avez sur le front toutes les lignes heureuses, miss. Votre avenir ? Et quelle prophétesse damnée, fût-ce l'une des sorcières de *Macbeth,* oserait vous prédire autre chose que des félicités ? Votre vie ? Partout où elle brillera, il poussera des fleurs comme sous un rayon de soleil.

ANNA. – Il se peut que les années qui me restent à vivre soient plus heureusement dotées que les années que j'ai déjà vécues, car il y a un quart d'heure encore, monsieur Kean, que je me demandais si je devais venir vous trouver ou mourir.

KEAN. – Vous m'effrayez, madame...

ANNA. – Il y a un quart d'heure que j'étais encore la fiancée d'un homme que je déteste, que je méprise, et que l'on veut me forcer d'épouser ; non pas ma mère, non pas mon père, hélas ! je suis orpheline, mais un tuteur à qui mes parents, en mourant, ont légué tout leur pouvoir. C'était hier matin que mon malheur devait s'accomplir, si je n'avais, soit folie, soit inspiration, quitté la maison de mon tuteur. J'ai fui, j'ai demandé où vous demeuriez ; on m'a indiqué votre maison, je suis venue.

KEAN. – Et que m'a valu l'honneur d'être choisi par vous, miss...
ou comme conseiller, ou comme défenseur ?

ANNA. – Votre exemple, qui m'a prouvé qu'on pouvait se créer des ressources honorables et glorieuses.

KEAN. – Vous avez songé au théâtre ?

ANNA. – Oui ; depuis longtemps, mes yeux sont fixés ardemment sur cette carrière, à l'exemple de mistress Siddons, de miss O'Neil, et de miss Fanny Kemble.

KEAN. – Pauvre enfant !

ANNA. – Vous paraissez me plaindre, et cependant vous ne me répondez pas, monsieur ?

KEAN. – Il y a en vous tant de jeunesse, tant de candeur, que ce serait un crime à moi, tout pervers que l'on me fait et que je suis peut-être, de ne pas vous répondre ce que je pense. Me permettez-vous de vous parler comme un père, miss ?

ANNA. – Oh ! je vous en supplie !

KEAN. – Asseyez-vous, ne craignez rien ; à compter de cette heure, vous m'êtes aussi sacrée que si vous étiez ma sœur.

ANNA, *s'asseyant.* – Que vous êtes bon !

KEAN, *debout.* – Vous avez vu le côté doré de notre existence, et il vous a éblouie. C'est à moi de vous montrer le revers de cette médaille brillante qui porte deux couronnes, une de fleurs, une d'épines.

ANNA. – Je vous écoute, monsieur, comme si Dieu me parlait.

KEAN. – Votre candeur, votre âge, miss, vont rendre délicate la tâche que je me suis imposée. Il y a des choses difficiles à dire pour un homme de mon âge, difficiles à comprendre pour une jeune fille du vôtre... Vous m'excuserez, n'est-ce pas, si l'expression ternit la chasteté de la pensée ?

ANNA. – Edmond Kean ne dira rien que ne puisse entendre Anna Damby, je l'espère.

KEAN. – Kean ne devrait rien dire de ce qu'il va dire à miss Damby, jeune fille du monde, destinée à rester dans le monde ; Kean dira tout et doit tout dire à la jeune artiste qui lui accorde sa confiance, et lui fait l'honneur de venir chez lui le consulter, et ce qui lui paraîtrait, dans le premier cas, une inconvenance, lui semble, dans le second, un devoir.

ANNA. – Parlez donc, monsieur.

KEAN. – Vous êtes belle, je vous l'ai dit. C'est quelque chose, c'est beaucoup même pour la carrière que vous voulez embrasser ; mais ce n'est point tout, miss... La part de la nature est faite, celle de l'art reste à faire.

ANNA. – Oh ! dirigée par vous, j'étudierai, je ferai des progrès, j'acquerrai un nom.

KEAN. – Dans cinq ou six ans, c'est possible... car ne croyez pas que rien se fasse sans le temps et sans l'étude. Quelques privilégiés naissent avec le génie, mais comme le bloc de marbre naît avec la statue ; ...il faut la main de

Praxitèle ou de Michel-Ange pour en tirer une *Vénus* ou un *Moïse*. Oui, certes, je suppose, je crois même que vous êtes de ces élues ; que, dans quatre ou cinq ans, votre talent, votre réputation, ne vous laisseront rien à envier à vos rivales, car c'est la gloire seule que vous cherchez... et votre immense fortune...

ANNA. – J'ai tout abandonné du moment que j'ai fui de chez mon tuteur.

KEAN. – Ainsi, vous n'avez rien ?

ANNA. – Rien.

KEAN. – En supposant que vous possédiez toutes les dispositions nécessaires, il vous faut toujours six mois d'étude avant vos débuts.

ANNA. – J'ai heureusement appris dans ma jeunesse tous ces petits ouvrages de femme qui peuvent nourrir celles qui les font. D'ailleurs, j'appartiens à une classe qui est habituée à s'honorer de ce qu'elle gagne. La fortune de ma famille, toute considérable qu'elle est, fut puisée à une source commerciale. Je travaillerai.

KEAN. – C'est bien ! Au bout de ces six mois de travail, supposons toujours des débuts brillants, et, alors, vous trouverez un directeur qui vous offrira cent livres sterling par an...

ANNA. – Mais, avec mes goûts simples et retirés, cent livres sterling, c'est une fortune.

KEAN. – C'est le quart de ce que vous aurez à dépenser rien que pour vos costumes. La soie, le velours et les diamants coûtent cher, miss. Êtes-vous disposée à vendre votre amour pour parer votre personne ?

ANNA. – Oh ! monsieur...

KEAN. – Pardon, miss, mais je me tairai à l'instant, ou vous me permettrez de tout dire. A l'heure où vous sortirez de cette chambre pour rentrer dans le monde, cette conversation sera oubliée.

ANNA. – *baissant son voile.* – Parlez, monsieur.

KEAN. – Il se peut cependant que vous ayez le bonheur de rencontrer un homme riche, délicat, généreux... que vous aimiez et qui vous aime... qui ne vous donne pas, qui partage... Alors le premier danger est évité... la première humiliation n'existe plus... Mais, je vous l'ai dit, vous êtes belle... Vous ne connaissez pas nos journalistes d'Angleterre, miss... Il en est qui ont compris leur mission du côté honorable, qui sont partisans de tout ce qui est noble, défenseurs de tout ce qui est beau, admirateurs de tout ce qui est grand... Ceux-là, c'est la gloire de la presse, ce sont les anges du jugement de la nation... Mais il en est d'autres, miss, que l'impuissance de produire a jetés dans la critique... Ceux-là sont jaloux de tout, ils flétrissent ce qui est noble... ils ternissent ce qui est beau... ils abaissent ce qui est grand ! Un de ces hommes, pour votre malheur, vous trouvera belle, peut-être...
Le lendemain, il attaquera votre talent... le surlendemain, votre honneur... Alors, dans votre innocence du mal, vous voudrez savoir quelle cause le pousse ; ...naïve et pure, vous irez chez lui comme vous êtes venue chez moi... Vous lui demanderez le motif de sa haine et ce que vous pouvez faire pour qu'elle cesse... Alors il vous dira que vous vous êtes mépris sur ses intentions, que votre talent lui plaît, qu'il ne vous hait pas, qu'il vous aime au contraire... Vous vous lèverez comme vous venez de le faire, et il vous dira : «Rasseyez-vous, miss... ou demain...»

ANNA. – Horreur !...

« Vous trouverez un directeur qui vous offrira cent livres sterling par an... »

KEAN. — Et supposons que vous ayez échappé à ces deux épreuves... une troisième vous attend... Vos rivales... car, au théâtre, on n'a pas d'amies... on n'a pas d'émules... on n'a que des rivales... vos rivales feront ce que Cimmer et d'autres que je ne veux pas nommer ont fait contre moi. Chaque coterie étendra ses mille bras pour vous empêcher de monter un degré de plus, ouvrira ses mille bouches pour vous cracher la raillerie au visage, fera entendre ses mille voix pour dire du bien d'elles et du mal de vous... Elles emploieront, pour vous perdre, des moyens que vous mépriserez... et elles vous perdront avec ces moyens ; ... elles achèteront la louange et l'injure à un prix qui ne leur coûte rien, à elles, et que vous ne voudrez pas payer, vous... Le public, insoucieux, ignorant, crédule, qui ne sait pas comment se fabriquent hideusement ces réputations et ces mensonges, les prendra pour des talents ou des vérités, à force de les entendre vanter ou redire. Enfin, un beau jour, vous vous apercevrez que la bassesse, l'ignorance et la médiocrité sont tout avec l'intrigue ; que l'étude, le talent, le génie ne servent à rien sans l'intrigue... Vous ne voudrez pas croire ; vous douterez encore quelque temps... Puis enfin, des larmes dans les yeux, du dégoût plein le cœur, du désespoir plein l'âme, vous en viendrez à maudire le jour, l'heure, la minute où cette fatale idée vous a prise de poursuivre une gloire qui coûte si cher et qui rapporte si peu... Maintenant, levez votre voile, miss ; j'en ai fini avec les choses honteuses.

ANNA. – O Kean ! Kean ! il faut que vous ayez bien souffert !... Comment avez-vous fait ?

KEAN. – Oui, j'ai bien souffert ! mais moins encore que ne doit souffrir une femme... car je suis un homme, moi... et je puis me défendre... Mon talent appartient à la critique, c'est vrai... Elle le foule sous ses pieds, elle le déchire avec ses griffes ; elle le mord avec ses dents... C'est son droit, et elle en use... Mais, quand un de ces aristarques d'estaminet s'avise de regarder dans ma vie privée, oh ! alors, la scène change. C'est moi qui menace, et c'est lui qui tremble. Mais cela arrive rarement... On voit trop souvent Hamlet faire des armes, pour que l'on cherche querelle à Kean.

ANNA. – Mais toutes ces douleurs ne sont-elles pas rachetées par ce seul mot que vous pouvez vous dire : « Je suis roi » ?

KEAN. – Oui, je suis roi, c'est vrai... trois fois par semaine à peu près, roi avec un sceptre de bois doré, des diamants de strass et une couronne de carton ; j'ai un royaume de trente-cinq pieds carrés, et une royauté qu'un bon petit coup de sifflet fait évanouir. Oh ! oui, oui, je suis un roi bien respecté, bien puissant, et surtout bien heureux, allez !

ANNA. – Ainsi, lorsque tout le monde vous applaudit, vous envie, vous admire...

KEAN. – Eh bien, parfois, je blasphème, je maudis, je jalouse le sort du portefaix courbé sous son fardeau, du laboureur suant sur sa charrue, et du marin couché sur le pont du vaisseau.

ANNA. – Et si une femme, jeune, riche, et qui vous aimât, venait vous dire : « Kean, ma fortune, mon amour sont à vous... sortez de cet enfer qui vous brûle... de cette existence qui vous dévore... quittez le théâtre... »

KEAN. – Moi ! moi ! quitter le théâtre... moi ! Oh ! vous ne savez donc pas ce que c'est que cette robe de Nessus qu'on ne peut arracher de dessus ses épaules qu'en déchirant sa propre chair ? Moi, quitter le théâtre, renoncer à ses émotions, à ses éblouissements, à ses douleurs ! moi, céder la place à Kemble et à Macready, pour qu'on m'oublie au bout d'un an, au bout de six mois, peut-être ! Mais rappelez-vous donc que l'acteur ne laisse rien après lui, qu'il ne vit que pendant sa vie, que sa mémoire s'en va avec la génération à laquelle il appartient, et qu'il tombe du jour dans la nuit... du trône dans le néant... Non ! non ! lorsqu'on a mis le pied une fois dans cette fatale carrière, il faut la parcourir jusqu'au bout... épuiser ses joies et ses douleurs, vider sa coupe et son calice, boire son miel et sa lie... Il faut finir comme on a commencé, mourir comme on a vécu... mourir comme est mort Molière, au bruit des applaudissements, des sifflets et des bravos !... Mais, lorsqu'il est encore temps de ne pas prendre cette route, lorsqu'on n'a pas franchi la barrière... il n'y faut pas entrer... croyez-moi, miss, sur mon honneur, croyez-moi !

Alexandre Dumas, *Kean*, 1836

Frédéric Lemaître, le créateur du rôle de Kean en 1836.

Kean vu par Sartre

Un peu plus d'un siècle après Dumas, Jean-Paul Sartre, philosophe, romancier, et lui aussi, homme de théâtre, reprend le thème de Kean. C'est l'occasion pour Sartre de rappeler l'engagement personnel et sans bornes de l'acteur.
La pièce revient à l'affiche 33 ans plus tard, montée par Robert Hossein, avec Jean-Paul Belmondo dans le rôle de Kean.

❝ Est-ce qu'il y a un moment où je cesse de jouer. ❞

ANNA. – Monsieur Kean, il *faut* que je joue.

KEAN. – Pour quoi faire ?

ANNA. – Pour gagner ma vie.

KEAN. – Vous n'êtes pas riche ?

ANNA. – J'ai tout abandonné en fuyant.

KEAN, *éclatant de rire.* – Tout abandonné. Et l'on vient parmi les gueux chercher un petit métier honnête ! On économisera comme papa ! On sera assidue, courageuse, dure à la peine, comme papa ! Le travail et l'épargne : quel tableau édifiant ! Il n'y manque qu'un livre de comptes en partie double. Shakespeare, Marlowe, Ben Johnson, regardez ! Regardez la fille aux fromages qui veut appliquer au théâtre les qualités de son père ! Au couvent, miss Damby, au couvent ! Donnez vos vertus au bon Dieu : le public n'en a que faire. On ne joue pas pour gagner sa vie. On joue pour mentir, pour se mentir, pour être ce qu'on ne peut pas être et parce qu'on en a assez d'être ce qu'on est. On joue pour ne pas se connaître et parce qu'on se connaît trop. On joue les héros parce qu'on est lâche et les saints parce qu'on est méchant ; on joue les assassins parce qu'on meurt d'envie de tuer son prochain, on joue parce qu'on est menteur de naissance. On joue parce qu'on aime la vérité et parce qu'on la déteste. On joue parce qu'on deviendrait fou si on ne jouait pas. Jouer ! Est-ce que je sais, moi, quand je joue ? Est-ce qu'il y a un moment où je cesse de jouer ? Regardez-moi : est-ce que je hais les femmes ou est-ce que je joue à les haïr ? Est-ce que je joue à vous faire peur et à vous dégoûter ou est-ce que j'ai très réellement et très méchamment envie de vous faire payer pour les autres ? Hein ? Retournez compter vos sous d'or et laissez-nous nos louis de carton !

ANNA, *doucement*. – Monsieur Kean, si vous jouiez un peu à être bon ?

KEAN, *interdit*. – A être bon ? Tiens ! Pourquoi pas ? Ce n'est pas un rôle de répertoire, mais je ne déteste pas l'improvisation. *(Un temps.)* Si j'étais bon... si j'étais bon... *(Joué.)* Vous avez vu le côté doré de notre existence et il vous a éblouie. C'est à moi de vous montrer le revers de cette médaille brillante qui porte deux couronnes, une de fleurs, une d'épines.

ANNA, *riant*. – Ce que vous êtes drôle quand vous êtes bon !

KEAN, *imperturbable*. – Votre candeur, votre jeunesse vont rendre délicate la tâche que je me suis imposée. Il y a des choses difficiles à dire pour un homme de mon âge, difficiles à comprendre pour une jeune fille du vôtre. Vous m'excuserez, n'est-ce pas, si l'expression ternissait la chasteté de la pensée.

ANNA, *joué*. – Edmond Kean ne dira rien que ne puisse entendre Anna Damby, je l'espère.

KEAN, *joué*. – Pardon, mademoiselle, mais je me tairai à l'instant, ou vous me permettez de tout dire.

ANNA, *baissant son voile*. – Parlez, monsieur.

KEAN, *voix changée*. – As-tu envie de te vendre ?

ANNA, *naturelle*. – Est-ce que c'est absolument nécessaire ?

KEAN. – Indispensable. Il faut que tu couches... Voyons... *(Il compte sur ses doigts.)* avec le directeur, avec l'acteur principal et avec l'auteur. Et remarque, je ne parle pas des extras.

ANNA. – Pour ce qui est de l'auteur, j'ai de la chance : Shakespeare est mort. Quant au directeur, il fait tout ce que l'acteur principal lui demande.

KEAN. – Reste l'acteur principal. Tiens : suppose que tu viennes voir notre gloire nationale, le grand Kean, pour lui demander sa protection. S'il te l'accorde, tu seras demain Juliette ou Desdémone ; s'il s'y oppose, inutile d'insister, ta carrière est morte avant d'être née. Qu'est-ce qu'il va faire, l'acteur Kean ? Tu t'imagines peut-être que tu vas le prendre par les sentiments ? Qu'il va te faire engager pour tes beaux yeux : Tu tombes mal : l'acteur Kean connaît trop les femmes et les grands sentiments. Les grands sentiments, il en vit. Quant aux femmes...

ANNA. – Il en vit aussi quelquefois, m'a-t-on dit...

KEAN. – Non : il en meurt. Donc te voilà chez cet homme aigri, déçu, méchant peut-être mais encore noble ! Te voilà avec ton innocence et ta sournoiserie ! La lutte sera chaude : que va-t-il se passer ? Ha ! Ha ! Que va-t-il se passer ? Tiens : jouons la scène. Nous verrons si tu as du talent pour improviser. Je suis Kean, tu es toi. Sors. Bien. Entre à présent. Non, non : ne relève pas ton voile. Là, c'est parfait. *(Il joue.)* Qu'est-ce que vous voulez ?

ANNA. – Monsieur Kean, je veux jouer la comédie.

KEAN, *naturel*. – Mais non : c'est comme cela. Tu perds toutes tes chances. C'est un vaniteux, tu sais, un écorché qui a l'orgueil à vif. Il faut le flatter. Recommence. Invente.

ANNA. – Je ne sais pas inventer.

KEAN. – Laisse parler ton cœur.

ANNA, *improvisant*. – Me voilà donc venue chez lui... Aurai-je le courage de lui dire ce qui m'amène ?... Oh ! Mon Dieu ! Mon Dieu ! Donnez-moi de la force car je me sens mourir.

KEAN, *parlé*. – Pas mal. *(Joué.)* Qu'est-

66 Dès qu'elles ont une frimousse et une tournure, elles se figurent qu'elle peuvent jouer. 99

ce que vous me voulez ?
ANNA, *extasiée.* – Oh ! C'est sa voix !
(A Kean.) Excusez mon trouble,
monsieur, il est bien naturel :
et si modeste que vous soyez, vous
comprendrez que votre réputation,
votre talent, votre génie...
KEAN. – Très bien.
ANNA. – ...m'effrayent plus encore
que votre accueil ne me rassure.
On vous dit cependant aussi bon que
grand... Si vous n'eussiez été que
grand, je ne serais pas venue à vous.
KEAN. – Je ne suis pas bon.
ANNA. – Hein ?
KEAN. – Je te dis que je ne suis pas
bon.
ANNA. – Vous me le dites pour de vrai
ou c'est dans votre rôle ?

KEAN, *hargneux.* – Je n'en sais rien.
Je te dis que je ne suis pas bon.
Approche. Tu veux faire du théâtre ?
ANNA. – Vous avez deviné juste,
monsieur, et j'attends beaucoup de
vous. Il s'agit de mon bonheur, de mon
avenir, de ma vie peut-être...
KEAN. – Toutes les mêmes.
Dès qu'elles ont une frimousse et une
tournure elles se figurent qu'elles
peuvent jouer. Lève ton voile. *(Anna
obéit.)* Pas mal ! Pas mal du tout ! Qu'est-
ce que ça prouve ? Que tu peux faire le
malheur d'un homme. Mais comment
veux-tu que je sache si tu feras le
bonheur du public. Montre tes jambes.
ANNA, *joué.* – Oh ! Monsieur !
KEAN. – Quoi ? Ça te gêne ?
ANNA, *parlé.* – Moi ? Pas du tout !

Elle relève sa jupe.

KEAN. – Hein!... Es-tu folle? Tu devais refuser!

ANNA. – Pourquoi? Puisque je veux faire du théâtre.

KEAN. – Ce n'est pas dans ton personnage. Dis: Horreur!

ANNA. – Horreur!

Elle pouffe.

KEAN. – Mieux que ça.

ANNA, *cherchant le ton juste.* – Horreur! Horreur... Horreur!

KEAN. – Bon. Marche. Mieux que ça. Comme une reine. Pas mal pour une fromagère. Prends l'air humilié.

ANNA. – Pourquoi?

KEAN. – Parce que je t'humilie, bon Dieu! Je te l'ai dit: je déteste les femmes. Regarde, je m'approche, j'étends la main, je te prends par l'épaule. Tu pousses un cri.

ANNA. – Ha!

KEAN. – Je veux abattre ton orgueil. Peut-être que je veux me venger sur toi d'une femme que je hais. Tu es vierge?

ANNA. – Non.

KEAN. – Comment non? Bien sûr que si, tu l'es! Dis: oui.

ANNA, *sans conviction.* – Oui.

KEAN. – Mieux que ça.

ANNA. – Oui.

KEAN, *agacé.* – Enfin, l'es-tu ou ne l'es-tu pas?

ANNA. – Comme vous voudrez.

KEAN. – Tu es vierge et je te fais horreur.

ANNA. – Oh! Non, monsieur Kean!

KEAN. – Bien sûr que si. Allez, reprends ta place. *(Il vient sur elle.)* Petite imbécile, tu as voulu m'avoir, hein? Tu l'as bien montée, ta comédie: le fiancé brutal, la fuite, l'escalier dérobé, les coïncidences. Tu voulais jouer sans payer. Rien à faire: pour s'offrir le plaisir de se moquer de moi, il faut être au moins comtesse. Tu payeras. Et pas seulement pour toi: pour toutes les femmes qui essayent de duper les pauvres hommes en cette minute même. Sais-tu que tu m'agaces, avec ta petite tête volontaire et butée. Toi aussi tu es orgueilleuse, hein? Vous êtes toutes folles d'orgueil. Eh bien, il faut le laisser au vestiaire, ton orgueil. Tu ne mettras jamais les pieds sur une scène ou tu feras tout ce que je te demanderai. Choisis.

(Il la prend dans ses bras.) Allons: choisis!

ANNA, *d'une voix claire et tranquille.* – C'est tout choisi: je ferai tout ce que vous me demanderez.

KEAN. – Hein? *(Il la lâche et va boire un coup.)* Ma pauvre enfant, vous êtes incapable d'improviser.

ANNA. – Mais je laisse parler mon cœur. Puisque je vous dis que je veux faire du théâtre. Reprenons, si vous voulez. *(Elle s'approche d'un air engageant.)* Je ferai tout ce que vous...

KEAN, *vivement.* – Non, non: restez où vous êtes. *(Un temps.)* Allons!

Je te ferai travailler et si tu as le moindre talent, je t'engage. N'aie pas peur: sans conditions.

ANNA. – Sans rien me demander?

KEAN. – Mais non, voyons! C'était de la comédie.

ANNA, *déçue.* – Ah! Bon.

KEAN. – Comment: ah bon! Je te l'ai dit.

ANNA. – Avec vous, on ne sait jamais.

KEAN. – Avec toi non plus, petite peste. Allons! file: tu as gagné.

ANNA. – Vous jouez à être bon?

KEAN. – Je joue, je ne joue pas: je n'en sais rien. Je suis saoul, voilà ce que je sais: profites-en.

ANNA. – J'en profite. *(Elle embrasse Kean sur les deux joues et s'enfuit prestement.)* A demain!

Elle sort.

Jean-Paul Sartre, *Kean*, 1953

Le Grand Dictionnaire de cuisine

Les transformations physiques de Dumas, du dandysme à la barrique, ont bien une explication : il aime la vie, il aime la bonne chère, il aime les bons vins... et pas en amateur : en acteur, en cuisinier tout simplement, habitué à manipuler les ingrédients devant les fourneaux comme les mots devant son bureau.

Calape

Ragoût que quelques praticiens confondent avec canapé ; calape est un mot américain qui désigne un ragoût composé de la partie d'une tortue qu'on fait griller dans son écaille ; ce ragoût, qui faisait les délices de mon équipage quand nous voguions entre la Sicile et l'Afrique, ne m'a jamais paru digne de paraître sur une table qui se respecte ; voici comment on prenait les tortues, et comment on les préparait. Lorsqu'arrivaient les mois de juin et juillet, mois de calme, on mettait un homme en vigie, sur la flèche de la grande voile, qui, dès qu'il apercevait une tortue dormant sur l'eau, criait : Tortue, tortue ! Aussitôt on mettait le youyou à la mer, on approchait sans bruit, le plus près possible, de la tortue qui surnageait, quoiqu'elle pesât parfois soixante ou quatre-vingts livres. Alors notre pilote Podimata, c'était lui qui d'habitude était chargé de cette expédition, se laissait glisser à la mer et nageait dans le sillage de la tortue ; il s'approchait d'elle sans qu'elle s'aperçût de son voisinage, puis il la prenait par les deux pattes de derrière et la retournait sur le dos ; dans cet état, quelques efforts qu'elle fît, elle ne pouvait ni plonger ni se retourner. Seulement, comme elle agitait sa tête qui sortait de l'écaille, il lui passait une corde au cou, remontait à bord, reprenait un des deux avirons et revenait le plus vite possible. Arrivée à bord, on la suspendait par les pattes de derrière à un des étais, on tirait la corde qui lui tenait le cou, et on le lui coupait d'un coup de sabre, elle dégorgeait alors une grande quantité de sang ; nous la laissions pendue douze heures, puis une seconde fois on la renversait sur le dos, on introduisait un fort

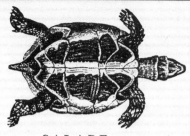

CALAPE

couteau entre l'écaille du ventre et l'écaille dorsale en faisant attention de ne pas abîmer les intestins et de ne pas crever le fiel, ce qui arriverait si vous introduisiez votre couteau trop avant ; enlevez le côté plat de la carapace, videz-la comme nous faisions, gardez le foie seulement ; l'aliment transparent que l'on trouve dedans n'est bon à rien. Vous trouverez à l'intérieur deux lobes de chair que l'on peut comparer à deux noix de veau, tant pour le goût que pour la blancheur. Parfois nous leur trouvions dans le ventre dix ou douze œufs sans coquille, comme ceux que l'on trouve dans le ventre des poules, et qui doivent venir successivement à leur tour.

Alors nous coupions par morceaux de la grosseur d'une noix une quantité suffisante de chair de tortue, nous les mettions, après les avoir fait dégorger, dans du bon consommé avec poivre, girofle, sel, thym, carottes et laurier ; nous faisions cuire le tout pendant trois ou quatre heures sur un feu doux ; préparez pendant ce temps des quenelles de volaille que vous assaisonnerez de sel, persil, ciboule et d'anchois ; faites pocher ces quenelles dans du consommé ; égouttez-les, versez sur votre tortue votre consommé dans lequel vous aurez mis quelques

instants auparavant trois ou quatre verres de vin de Madère sec. Puis, au lieu de faire un plat séparé, vous le versez dans l'écaille et vous le servez à cinquante convives, et il y aura à coup sûr à dîner pour les cinquante personnes.

Quant à nous, tout notre équipage s'en régalait, à l'exception de deux Grecs à qui j'avais donné l'hospitalité du passage, et qui allaient à Chypre pour retrouver un trésor perdu.

Chevreuil

Petite espèce du genre cerf auquel il ressemble beaucoup, mais il a plus d'élégance et paraît plus leste et plus vif. Le chevreuil est très sauvage, très difficile à apprivoiser. On a essayé d'en apprivoiser en les prenant très jeunes, mais leur naturel impétueux et indépendant reparaissait à la première occasion, et ils étaient alors sujets à des caprices dangereux pour les personnes qu'ils avaient prises en aversion.

On distingue l'âge du chevreuil, comme celui du cerf, par le nombre d'andouillers qui sont à ses bois. Pour que sa chair soit tendre et savoureuse, il faut lui prendre de dix-huit mois à trois ans ; sa chair est alors très bonne quoique sa qualité dépend aussi beaucoup des lieux qu'il habite ; les meilleurs nous viennent des Cévennes, des Ardennes, du Rouergue et du Morvan. Mais la meilleure est sans contredit celle du chevrotin ou faon de chevreuil quand ils n'ont encore que neuf ou dix mois.

Nous allons indiquer les différentes manières de préparer ce gibier, un des plus connus et des plus recherchés par les chasseurs.

Quartier de chevreuil rôti

Faites macérer votre chevreuil avec huile fine, vin rouge, persil, épices et quelques tranches d'oignons. Enlevez ensuite la peau du filet et celle du dehors de la cuisse, piquez-les de lard fin ; enveloppez le quartier d'un papier beurré ; faites cuire et servez pour grosse pièce avec une poivrade.

Civet de chevreuil

Lardez de gros lard les deux parties de la poitrine d'un chevreuil, passez-les à la casserole avec persil et lard fondu ; puis faites-les cuire avec un bouquet de fines herbes, sel, poivre, laurier, citron vert. Quand tout est cuit à point, faites une sauce que vous liez avec farine frite, filet de vinaigre, poignée de câpres et quelques olives désossées, et servez avec des croûtons.

Gigot de chevreuil rôti

Après avoir paré un gigot de chevreuil et l'avoir piqué de lard fin, vous le mettez mariner quelques heures avec du sel et de l'huile d'olive, puis vous le laissez une heure à la broche, l'arrosant avec sa marinade, et faites une sauce avec cette marinade et du jus d'échalotes.

Côtelettes de chevreuil

Lavez, aplatissez, marinez un jour, faites revenir dans l'huile vos côtelettes. Cuites et d'une belle couleur, égouttez et servez avec une sauce poivrade ou une sauce tomates.

Épaules de chevreuil sautées à la minute

Parez, piquez, marinez, faites sauter au beurre sur un feu vif, dressez, glacez et servez à la poivrade.

Escalopes de chevreuil

Vous levez les chairs de deux épaules, ôtez les peaux, coupez en escalopes, faites cuire sur sautoir avec du beurre fondu, sel, poivre, ail, laurier ; placez vos escalopes au moment de servir sur un fourneau un peu ardent, retournez-les, ajoutez du beurre et garnissez le plat avec du verjus.

Crépinettes de chevreuil
Joignez à des chairs de chevreuil rôties, des truffes, des champignons, de la tétine de veau ; faites réduire dans une bonne sauce, laissez refroidir le tout et amalgamez avec du beurre pour partager en portions à peu près égales, que vous enveloppez de crépines, mettez ensuite vos crépinettes sur un plafond beurré, faites prendre couleur, versez dessus en les servant une ravigote d'anchois.

Hachis de chevreuil aux œufs pochés
Hachez des chairs de chevreuil rôti avec des fines herbes cuites, mettez le tout avec un peu de beurre dans une poivrade bien réduite, sans le laisser bouillir et surmontez ce hachis avec des œufs pochés.

Émincé de chevreuil aux oignons
Faites un roux avec des oignons coupés en rouelles ; faites-y chauffer vos tranches de chevreuil en y ajoutant du poivre blanc et le jus d'un citron.

Chevreuil en daube
S'il a été mariné, ne le faites macérer qu'un jour et faites-le cuire environ cinq heures dans une braise ; faites réduire la sauce et passez-la au tamis ; ajoutez-y quantité suffisante de corne de cerf pour en faire une gelée, laissez refroidir, masquez-en votre pièce de chevreuil et servez.

Alexandre Dumas,
Grand Dictionnaire de cuisine, 1872

De la chasse à la cuisine : la journée de Dumas commence le matin dans les bois, pour se terminer en apothéose en soupers pantagruèliques, généreusement préparés par le maître de maison.

Le véritable d'Artagnan

Dumas ne nia jamais s'être appuyé, pour écrire les Trois Mousquetaires, *sur les mémoires du véritable d'Artagnan. Ce sont d'ailleurs de faux mémoires, rédigés bien après la mort de ce héros du XVIIᵉ siècle. Mais Dumas tenait là un nom et une ambiance, le reste n'était qu'affaire de génie. L'historien Yves-Marie Bercé a étudié, lui, le véritable d'Artagnan, l'un des cadets de Gascogne.*

Charles de Batz-Castelmore, dit d'Artagnan, peut à bon droit être rangé parmi ces jeunes cadets faméliques, accourant du fond de leurs coteaux battus par les grêles d'été ou de leurs landes stériles pour aller chercher fortune à Paris. Malgré une assez brillante carrière aux armées, il n'aurait pas échappé à l'oubli si un libelliste talentueux, Gatien de Courtils, ne s'était avisé, en 1700, soit vingt-sept ans après la mort de ce héros obscur, de composer sous son nom des mémoires apocryphes. C'est à partir de cette chronique imaginaire que, un siècle et demi après, Alexandre Dumas construisit son roman. La rédaction de de Courtils n'était pas très éloignée de l'époque décrite. De la sorte, bien des traits des *Mémoires de M. d'Artagnan* sont tout à fait vraisemblables, à défaut d'être authentiques. Les termes dans lesquels il dépeint le déracinement du jeune provincial méritent par exemple d'être repris dans une étude historique :

« J'avais été élevé très pauvrement, car mon père et ma mère n'étaient pas riches, et je ne songeais qu'à m'en aller chercher fortune du moment que j'eus atteint l'âge de quinze ans. Tous les cadets de Béarn, province dont je suis sorti, étaient assez sur ce pied-là, car ce peuple est naturellement belliqueux et la pauvreté du pays ne lui fournit pas toutes les délices de la vie. Une troisième raison me poussait, qui avait déjà poussé plusieurs de mes voisins et de mes amis à quitter le coin de leur feu. C'était l'exemple d'un pauvre gentilhomme de notre voisinage qui s'en était allé à Paris quelques années auparavant avec une petite malle sur le dos pour tout bagage. Il avait fait une grande fortune à la cour, (...) le roi lui avait donné sa compagnie de mousquetaires (...). Ce gentilhomme se nommait Troisville, vulgairement appelé Tréville. Mes parents ne me purent donner qu'un bidet de vingt francs et dix écus dans ma poche comme viatique de voyage. Ce n'était guère, mais ils me bourrèrent, en revanche, de quantité de bons avis (...).»

Dans ce bref passage, tout le destin d'un jeune émigrant est résumé : l'origine obscure, la médiocrité provinciale, puis le départ vers les mirages de la capitale, où les premières étapes d'une éventuelle carrière passaient par les recommandations de quelque compatriote chanceux et bien en cour.

Charles de Batz-Castelmore était né après 1610, cinquième fils de Bertrand de Batz et de Françoise de Montesquiou. Un grand-père aurait été marchand. En tout cas, ses parents auraient été bien embarrassés de prouver par titres leur noblesse, mais ils vivaient noblement et désignaient leurs enfants du nom des diverses parcelles de terre qu'ils possédaient. Charles, dit d'Artagnan, était précédé dans le service des armes du roi par les exemples de deux ou trois frères et d'un oncle. Arrivé à Paris, il entra en qualité de cadet au régiment des gardes françaises dont le maître de camp était alors le duc de Gramont, gouverneur du Labourd, c'est-à-dire du bailliage de Bayonne. Après l'engagement, la guerre de Trente Ans (1618-1648) réserva au jeune soldat le dur apprentissage des campagnes. Le cadet gascon servit donc en Picardie, Roussillon et Flandre. C'est, semble-t-il, en 1645 que d'Artagnan est passé du régiment des gardes à la compagnie des mousquetaires du roi. Cette troupe d'élite avait été constituée dans les

années 1630, lorsque les mousquets légers et rapides s'étaient imposés comme l'arme la mieux adaptée à la guerre de mouvement. La compagnie comptait une bonne centaine de sujets de grande valeur placés théoriquement sous les ordres directs du roi ; leur premier capitaine-lieutenant fut le Béarnais Troisville. En 1646, d'Artagnan, remarqué pour sa bravoure et son intelligence, fut désigné à Mazarin qui recherchait des gentilshommes de mérite et de peu de fortune pour les attacher à son service personnel. D'Artagnan devait alors avoir une trentaine d'années ; il échappait ainsi aux modestes opportunités des batailles et des assauts de places et accédait aux chances et aux dangers de la politique.

Entrer dans la «clientèle» d'un grand, devenir sa «créature», son «fidèle» était une filière sociale honorable et enviée, mais aussi aventureuse et incertaine, dans les années de guerre et de troubles civils que traversait le royaume. Il fallait, bien sûr, être homme d'épée et de cheval, mais aussi se tenir prêt pour des missions difficiles et compromettantes, savoir parler, négocier, être capable d'habileté et digne de confiance. Les emplois tenus par d'Artagnan étaient ceux d'informateur, d'agent secret et surtout de messager.

De Courtils fait courir d'Artagnan en Angleterre pour tenter de sauver Charles Ier ; il l'associe aux négociations du congrès de Münster, en Westphalie ; il le fait intervenir à Bordeaux durant les troubles de la Fronde. Ces missions prétendues sont invérifiables ou imaginaires mais non pas invraisemblables. Afin de gaver d'anecdotes son public, Courtils a

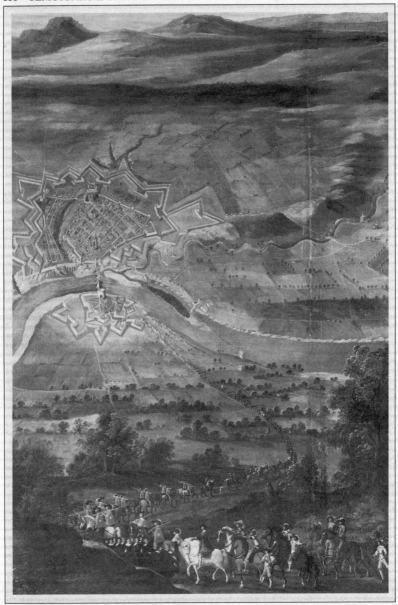

voulu réunir dans les aventures de son héros tous les épisodes célèbres et tragiques de la période.

Après la Fronde, d'Artagnan reprit du service à l'armée avec le grade de capitaine au régiment des gardes. Il prit part aux sièges successifs des places espagnoles des Flandres. De Courtils place vers ce moment, en 1657, une autre mission périlleuse et pittoresque dont on n'a, à vrai dire, aucune preuve. D'Artagnan aurait été chargé de faire passer des lettres dans la citadelle d'Ardres, assiégée par les troupes de Condé et des Espagnols. Il y réussit, après avoir risqué plusieurs fois d'être fusillé, égorgé ou pendu par l'un ou l'autre parti. Il dut son succès à son audace, à ses déguisements et à ses ruses. Il emprunta les costumes d'un marchand de tabac et d'un palefrenier des écuries de Condé, se faisait passer pour un soldat ivre puis pour un déserteur du camp français, échappait aux patrouilles, passant entre les balles, s'évadant des corps de garde, se tirant des interrogatoires. Mais ces emplois téméraires et subalternes, vrais ou vraisemblables, montrent les limites de la carrière de d'Artagnan. Il ne dépassait pas les charges hardies et sans gloire d'exécutant, allant des besognes mystérieuses de l'homme de main à l'héroïsme désintéressé des avant-postes.

La compagnie des mousquetaires du roi, dissoute en 1646, fut reconstituée en 1657. D'Artagnan y fut sous-lieutenant, sans doute en 1658, l'année du siège et de la prise de Dunkerque. Il accompagna le roi dans son voyage

vers Saint-Jean-de-Luz et il figura dans l'entrée triomphale à Paris du jeune couple royal, le 26 août 1661. Les mousquetaires logeaient généralement au faubourg Saint-Germain ; ils manœuvraient à Vincennes ou à Neuilly, ils portaient des casaques d'azur à croix d'argent et montaient des chevaux gris, ce qui leur valut le nom de «mousquetaires gris» ou de «grands mousquetaires».

L'été 1661, après le retour du roi dans la capitale, d'Artagnan fut à nouveau associé à un événement célèbre, l'arrestation du surintendant des Finances, Nicolas Fouquet. (...)

D'Artagnan (...) trouva la mort au siège de Maestricht le 25 juin 1673. (...)

Une lettre anglaise rapporte l'action : «Nous marchâmes l'épée à la main, jusqu'à une barricade ennemie où on ne pouvait passer qu'un homme à la fois. Là se trouvait M. d'Artagnan avec ses mousquetaires ; il se conduisit avec la plus grande bravoure. Ce gentilhomme jouissait dans l'armée de la plus grande réputation ; il aurait voulu persuader le duc de ne pas aller au-delà ; n'ayant pu l'obtenir, il voulut rester à ses côtés, mais comme il franchissait cet étroit passage, il fut tué par une décharge à travers la tête.» Le carnage fut si intense que plusieurs milliers de morts furent décomptés. La ville capitula le 2 juillet et obtint les honneurs de la guerre. Une gazette rimée publia un éloge funèbre de d'Artagnan :

«Le roi ressent cette infortune
Dans une douleur non commune
Et toute son armée en deuil
Ne peut supporter cette atteinte
Qu'en s'écriant dans sa complainte
D'Artagnan et la gloire ont le même cercueil.»

Yves-Marie Bercé, *l'Histoire,* 1981

Richelieu et ses mousquetaires à cheval entrent dans Montauban, qui vient de se rendre. Tableau de Jacques Callot (1629).

Vie et œuvre de Dumas	Littérature française et étrangère	Musique, architecture, arts plastiques	Événements politiques et sociaux
1802 Naissance à Villers-Cotterêts			
	**1815** Béranger : *Chansons*		**1815** Les Cent-Jours Waterloo
	1816 B. Constant : *Adolphe* Byron : *Childe Harold* (fin)	**1816** Niepce : première photographie	**1816** Exécution de Ney Début du gouvernement modéré
	1818 M. Shelley : *Frankenstein ou le Prométhée moderne*		**1818** Libération du territoire
	1819 Hugo : *Bug Jargal* Royou : *Histoire de France* W. Scott : *Ivanhoé* Byron : *Mazeppa*	**1819** Géricault : *le Radeau de la Méduse*	**1819** Mesures libérales pour la presse Ministère Decazes (libéral)
	1820 Lamartine : *Méditations poétiques* Courier : *Lettres particulières* Shelley : *Prométhée déchaîné* Mathurin : *Melmoth*	**1820** Géricault : *le Derby d'Epsom*	**1820** Début du gouvernement ultra (jusqu'à 1828) Assassinat du duc de Berry
	1821 Fourier : *Traité de l'harmonie universelle* De Maistre : *les Soirées de Saint-Pétersbourg* Hegel : *Fondements de la philosophie du droit*		**1821** Ministère de Villèle Mort de Napoléon
1822 Clerc de notaire à Crépy-en-Valois Rencontre de l'acteur Talma	**1822** Hugo : *Odes* Las Cases : *le Mémorial de Sainte-Hélène (1822-1829)* Stendhal : *De l'amour* De Quincey : *Confessions d'un mangeur d'opium* Byron : *Caïn*		**1822** Lois contre la presse
1823 Le général Foy fait entrer Dumas comme employé surnuméraire au service du duc d'Orléans à Paris	**1823** Thiers : *Histoire de la révolution* (I, II) Stendhal : *Racine et Shakespeare* Hugo : *Han d'Islande*	**1823** Beethoven : *Neuvième Symphonie*	**1823** Guerre en Espagne (Trocadéro)
1824 Naissance de Dumas fils	**1824** Hugo : *Odes et Ballades* Byron : *Don Juan*	**1824** Delacroix : *le Massacre de Scio* Géricault : *le Four à plâtre*	**1824** Mort de Louis XVIII Carnot : équivalence chaleur-énergie

Vie et œuvre de Dumas	Littérature française et étrangère	Musique, architecture, arts plastiques	Événements politiques et sociaux
	1825 Lamartine : *Dernier Chant du pèlerinage d'Harold* Stendhal : *D'un nouveau complot contre les industriels* Mérimée : *Théâtre de Clara Gazul*		**1825** Sacre de Charles X
	1826 Chateaubriand : *les Natchez* Vigny : *Poèmes antiques et modernes, Cinq-Mars* F. Cooper : *le Dernier des Mohicans*	**1826** Mendelssohn : *le Songe d'une nuit d'été*	**1826** Procès Lamennais
	1827 Hugo : *Cromwell* (et préface) Stendhal : *Armance* Nerval : traduction de *Faust* (Goethe) De Quincey : *De l'assassinat considéré comme un des beaux-arts* Mickiewicz : *Konrad Wallenrod*		**1827** Dissolution de la chambre ultra
	1828 Bertrand : *Manifeste romantique*	**1828** Delacroix : *la Mort de Sardanapale* Berlioz : *Ouverture des Francs-Juges*	**1828** Ministère Martignac (libéral) Ordonnance contre les Jésuites Abolition de la censure
1829 *Henri III et sa Cour* à la Comédie-Française	**1829** Balzac : *les Chouans* Hugo : *les Orientales, le Dernier Jour d'un condamné* Interdiction de *Marion Delorme* Vigny : *Othello, le More de Venise* Goethe : *les Années de voyages de Wilhelm Meister*	**1829** Delacroix : Lithographies pour *Faust* (1825-1828) Rossini : *Guillaume Tell*	**1829** Ministère Polignac (ultra)
1830 La censure autorise sa pièce *Christine*	**1830** Balzac : *Scènes de la vie privée* Hugo : *Hernani* Lamartine : *Harmonies poétiques et religieuses* Musset : *Contes*	**1830** Berlioz : *Symphonie fantastique* Corot : *la Cathédrale de Chartres*	**1830** Les 4 ordonnances Révolution de 1830 (Trois Glorieuses)

Vie et œuvre de Dumas	Littérature française et étrangère	Musique, architecture, arts plastiques	Événements politiques et sociaux
	d'Espagne et d'Italie Stendhal : *le Rouge et le Noir* Hegel : *Leçons sur la philosophie de l'Histoire*		
1831 *Antony* au théâtre de la Porte-Saint-Martin Dumas démissionne de son emploi officiel de bibliothécaire du duc d'Orléans Naissance de sa fille Marie	**1831** Balzac : *la Peau de chagrin* Hugo : *Notre-Dame de Paris, les Feuilles d'automne* Michelet : *Introduction à l'histoire universelle* Goethe : *Faust II* Pouchkine : *Boris Godounov*	**1831** Delacroix : *la Liberté guidant le peuple*	**1831** Révolte des canuts de Lyon
1832 *La Tour de Nesle* Voyage en Suisse	**1832** Balzac : *Nouveaux Contes philosophiques* Lamartine : *Ode sur les révolutions* Hugo : *Le roi s'amuse* Stendhal : *Souvenirs d'égotisme* Nodier : *la Fée aux miettes* Sand : *Indiana* Vigny : *Stello*	**1832** Chopin : *Neuf Mazurkas* Daumier condamné pour ses dessins contre Louis-Philippe	**1832** Broglie, Guizot, Thiers au ministère Condamnation de Lamennais Encyclique *Mirari Vos*
1833 *Impressions de voyage en Suisse*	**1833** Balzac : *Eugénie Grandet, le Médecin de campagne, l'Illustre Gaudissart,* Hugo : *Marie Tudor* Goethe : *le Second Faust* (posth.) Pouchkine : *Eugène Onéguine*	**1833** Chopin : *Trois Nocturnes*	**1833** Loi Guizot sur l'enseignement primaire
	1834 Balzac : *Histoire des Treize, la Recherche de l'absolu, le Père Goriot* Musset : *Lorenzaccio, les Caprices de Marianne, On ne badine pas avec l'amour* Sainte-Beuve : *Volupté* Pouchkine : *la Dame de pique*	**1834** Delacroix : *Femmes d'Alger* Daumier : *la Rue Transnonain*	**1834** Insurrections à Lyon et Paris Massacre de la rue Transnonain (14 avril)

Vie et œuvre de Dumas	Littérature française et étrangère	Musique, architecture, arts plastiques	Événements politiques et sociaux
1835 Naples, Palerme, Messine…	**1835** Balzac : *le Lys dans la vallée, César Birotteau, Séraphita* Gautier : *Mademoiselle de Maupin* (et préface) Hugo : *les Chants du crépuscule* Musset : *les Nuits, la Confession d'un enfant du siècle* Vigny : *Chatterton, Servitude et Grandeur militaires* Andersen : *Contes* Gogol : *Journal d'un fou*	**1835** Bellini : *la Norma* Halévy : *la Juive*	**1835** Répression de l'opposition républicaine Fondation de l'agence Havas
	1836 Lamartine : *Jocelyn* Dickens : *les Aventures de Mr Pickwick*	**1836** Chopin : *la Grande Polonaise* Rude : *le Départ des volontaires en 1792*	**1836** Tentative de Louis Bonaparte à Strasbourg
1837 *Caligula* à la Comédie-Française	**1837** Balzac : *les Illusions perdues* (1re partie) Hugo : *les Voix intérieures* Mérimée : *la Vénus d'Ille* Dickens : *Oliver Twist*	**1837** Berlioz : 1re exécution du *Requiem* Raffet/Grandville : Illustrations des chansons de Béranger	**1837** Poursuite de la conquête de l'Algérie, prise de Constantine
1838 *Le Capitaine Paul*	**1838** Balzac : *la Maison Nucingen* Hugo : *Ruy Blas* E. Poe : *les Aventures d'Arthur Gordon Pym*	**1838** Berlioz : *Benvenuto Cellini* Grandville : illustration des *Fables* de la Fontaine	
1839 *Mademoiselle de Belle-Isle* à la Comédie-Française	**1839** Vigny : *Lettre à lord**** Stendhal : *la Chartreuse de Parme* Lermontov : *le Démon*	**1839** Berlioz : 1re exécution de *Roméo et Juliette* Chopin : *Vingt-Quatre Préludes*	**1839** Insurrection à Paris de la Société des Saisons Arrestation de Barbès et de Blanqui
1840 Épouse l'actrice Ida Ferrier Voyage en Allemagne, avec Nerval ; ensemble ils écrivent *Leo Burckard* Nerval lui présente Auguste Maquet	**1840** Proudhon : *Qu'est-ce que la propriété ?* Mérimée : *Colomba* Hugo : *les Rayons et les Ombres* Poe : *Histoires extraordinaires* (1er recueil)	**1840** Schubert : *Lieder* Chopin : *la Marche funèbre* Début des travaux de Viollet-le-Duc	**1840** Ministère Thiers Tentative de Louis Napoléon à Boulogne Fondation de *l'Atelier* (journal ouvrier)

Vie et œuvre de Dumas	Littérature française et étrangère	Musique, architecture, arts plastiques	Événements politiques et sociaux
1841 Une année à Florence	**1841** Chateaubriand : achèvement des *Mémoires d'outre-tombe* Balzac : *Ursule Mirouet, Une ténébreuse affaire, le Curé du village* Lamartine : *la Marseillaise de la paix* Michelet : *Jeanne d'Arc*		**1841** Loi limitant le travail des enfants dans les manufactures (huit heures de 8 à 12 ans) Fondation de *la Revue indépendante* (P. Leroux, G. Sand)
1842 *Le Speronare*	**1842** Balzac : avant-propos de *la Comédie humaine* E. Sue : *les Mystères de Paris* G. Sand : *Consuelo*, 2e préface d'*Indiana* Gogol : *les Ames mortes*	**1842** Gounod : *Requiem* Rossini : *Stabat Mater* Courbet : *Autoportrait au chien noir*	**1842** Organisation des chemins de fer
1843 *Le Corricolo* (voyage en Italie et en Sicile)	**1843** Balzac : *les Illusions perdues* (fin) Reybaud : *Jérôme Paturot* Hugo : *les Burgraves* (échec) Poe : *le Scarabée d'or*	**1843** Wagner : *le Vaisseau fantôme* Création de *l'Illustration*	**1843** Poursuite de la conquête de l'Algérie
1844 Divorce d'avec Ida Ferrier *Les Trois Mousquetaires, le Comte de Monte-Cristo* Fait construire son château de Monte-Cristo à Saint-Germain-en-Laye	**1844** Chateaubriand : *la Vie de Rancé* Louis Bonaparte : *l'Extinction du paupérisme* Heine : *l'Allemagne* S. Kierkegaard : *le Concept de l'angoisse*	**1844** Grandville : *Un autre monde* Mendelssohn : *Concerto en mi mineur pour violon*	**1844** Le Maroc reconnaît les frontières de l'Algérie française
1845 *Vingt Ans après, la Reine Margot* Les *Mousquetaires* au théâtre de l'Ambigu-Comique	**1845** Mérimée : *Carmen* Baudelaire : début des *Curiosités esthétiques* (1845-1859) K. Marx : *la Sainte Famille* F. Engels : *Situation de la classe laborieuse en Angleterre* Poe : *le Corbeau*	**1845** Wagner : *Tannhäuser* Daumier : *les Gens de justice* Corot : *le Baptême du Christ*	**1845** Dispersion des Jésuites en France avec l'accord du pape Les disciples de Fourier commencent à publier ses écrits
1846 Fait construire le Théâtre-Historique *La Dame de Monsoreau, les Deux Diane Joseph Balsamo*	**1846** Balzac : *la Cousine Bette* Proudhon : *Philosophie de la misère* G Sand : *la Mare au diable* Dostoïevski : *les Pauvres Gens*	**1846** Berlioz : *la Damnation de Faust* Verdi : *Attila* Courbet : *l'Homme à la pipe* (autoportrait)	**1846** Crise en Europe, troubles à Paris

Vie et œuvre de Dumas	Littérature française et étrangère	Musique, architecture, arts plastiques	Événements politiques et sociaux
1847 *La Reine Margot* au Théâtre-Historique	**1847** Balzac : *la Dernière Incarnation de Vautrin* G. Sand : *François le Champi*	**1847** Chopin : *Trois Valses* Verdi : *Macbeth*	**1847** Reddition d'Abd el Kader Campagne des banquets, émeutes
1848 *Le Vicomte de Bragelonne* *Les Quarante-Cinq* *Le Véloce ou Tanger, Alger et Tunis* *Monte-Cristo* au Théâtre-Historique	**1848** Renan écrit *l'Avenir de la science* (publié en 1890) Dumas fils : *la Dame aux camélias* (roman) Marx-Engels : *Manifeste du parti communiste* Dostoïevski : *les Nuits blanches de Saint-Pétersbourg*	**1848** Daumier : *la République*	**1848** Révolution de février Seconde République Suffrage universel, abolition de la peine de mort, droit au travail, liberté de presse et de réunion Louis-Napoléon président de la République
1849 *Le Collier de la reine*	**1849** Lamartine : *Histoire de la révolution de 1848* G. Sand : *la Petite Fadette* Flaubert : *la Tentation de Saint-Antoine* (première version)	**1849** Berlioz : *Te Deum*	**1849** Condamnation de Blanqui Assemblée élue à majorité conservatrice 9 juillet : discours de Hugo sur la misère
1850 Faillite : le château de Monte-Cristo est mis aux enchères *La Tulipe noire*	**1850** Kierkegaard : *Traité du désespoir* Dickens : *David Copperfield* (début)	**1850** Wagner : *Lohengrin* Courbet : *l'Enterrement à Ornans* Daumier : *Ratapoil*	**1850** Loi Falloux Restriction du suffrage universel et des libertés
1851 Dumas rejoint Hugo en Belgique *Benvenuto Cellini*	**1851** Labiche : *Un chapeau de paille d'Italie* Baudelaire : *Du vin et du hachisch* Wagner : *Opéra et Drame* H. Melville : *Moby Dick* Beecher Stowe : *la Case de l'oncle Tom*	**1851** Verdi : *Rigoletto* Schumann : *Quatrième Symphonie* Début des halles de Baltard (1851-1858)	**1851** 2 décembre : coup d'État de Louis-Napoléon Fusillades à Paris
1852 *Mes mémoires*	**1852** L. Blanc : *Histoire de la Révolution française* A. Dumas fils : *la Dame aux camélias* (théâtre)	**1852** Schumann : *Troisième Symphonie, Requiem*	**1852** Censure de la presse 2 décembre : Second Empire
1853 *Le Mousquetaire*, journal de Dumas (durera jusqu'en 1857) *Ange Pitou* *La Jeunesse de Louis XIV* (interdit par la censure)	**1853** Hugo : *les Châtiments* Nerval : *Sylvie* Michelet : fin de l'*Histoire de la Révolution française*	**1853** Verdi : *le Trouvère, la Traviata*	**1853** Campagne de Veuillot (*l'Univers*) contre *le Siècle* et Lacordaire Parution du *Journal pour tous*, premier des journaux-romans illustrés

Vie et œuvre de Dumas	Littérature française et étrangère	Musique, architecture, arts plastiques	Événements politiques et sociaux
	1854 Nerval : *les Filles du feu, les Chimères* Barbey d'Aurevilly : *l'Ensorcelée* Viollet-Le-Duc : *Dictionnaire raisonné de l'architecture française* (1854-1869)	**1854** Brahms : *Premier Concerto pour piano* Wagner : *l'Or du Rhin* (partition) Liszt : *les Préludes* Courbet : *l'Atelier*	**1854** Guerre contre la Russie
	1855 Balzac : *les Paysans* (posth.) Nerval : *Aurélia*	**1855** Verdi : *les Vêpres siciliennes* Wagner : *la Walkyrie* (partition) Courbet refusé au Salon	**1855** Exposition Universelle de Paris
	1856 Hugo : *les Contemplations*	**1856** Chassériau : *Intérieur de harem* Ingres : *la Source*	**1856** Fin de la guerre de Crimée Traité de Paris
1857 *Les Compagnons de Jéhu*	**1857** Baudelaire : *les Fleurs du mal* (procès) Flaubert : *Madame Bovary* (procès)	**1857** Courbet : *les Demoiselles du bord de la Seine* Millet : *les Glaneuses* Verdi : *Simon Boccanegra*	**1857** Chemins de fer (le PLM) Éclairage au gaz des grands boulevards
1858 Dumas lance un nouveau journal, *le Monte-Cristo*	**1858** P. Féval : *le Bossu* Sainte-Beuve : *les Causeries du lundi*	**1858** Offenbach : *Orphée aux enfers*	**1858** Attentat d'Orsini, loi de sûreté générale
1859 Voyage en Russie	**1859** Hugo : *la Légende des siècles* (1re série) Baudelaire : *Salon de 1859* Darwin : *l'Origine des espèces*	**1859** Gounod : *Faust* Wagner : *Tristan et Isolde* Ingres : *le Bain turc* Millet : *l'Angelus* Salon de 1859	
1860 *La Dame de Monsoreau* au Théâtre de l'Ambigu-Comique Dumas rejoint Garibaldi à Palerme Naissance de sa fille Micaëlla	**1860** Baudelaire : *les Paradis artificiels*		**1860** Cession de Nice et de la Savoie à la France
	1861 Dostoïevski : *Souvenirs de la maison des morts* **1862** Flaubert : *Salammbô* Fromentin : *Dominique* Michelet : *la Sorcière* Hugo : *les Misérables* Leconte de Lisle : *Poèmes barbares*	**1861** Wagner : *Tannhäuser* à l'Opéra (échec) Construction de l'Opéra par Garnier (1861-1875) **1862** Ingres : *le Bain turc*	**1862** Exposition Universelle de Londres

Vie et œuvre de Dumas	Littérature française et étrangère	Musique, architecture, arts plastiques	Événements politiques et sociaux
1863 Ses œuvres sont mises à l'index par l'Église	**1863** T. Gautier : *le Capitaine Fracasse* Jules Verne : *Cinq Semaines en ballon*	**1863** Salon des refusés : Manet : *le Déjeuner sur l'herbe*	
	1864 Barbey d'Aurevilly : *le Chevalier Des Touches* J. Verne : *Voyage au centre de la terre*	**1864** Offenbach : *la Belle Hélène* (livret Meilhac et Halévy) Degas : *Portrait d'Édouard Manet*	**1864** Fondation de la 1re Internationale (Londres)
	1865 Cl. Bernard : *Introduction à l'étude de la médecine expérimentale* L. Carroll : *Alice au pays des merveilles* Tolstoï : *Guerre et Paix*	**1865** Brahms : *Danses hongroises* (I et II) Liszt : *Sept Rhapsodies hongroises* (1865-1869) Courbet : *Proudhon et sa famille* Manet : *Olympia*	**1865** Entrevue de Biarritz (Napoléon III - Bismarck)
1866 Bataille de Sadowa Expansion coloniale	**1866** Daudet : *Lettres de mon moulin* (1866-1869) Larousse : *Dictionnaire encyclopédique du XIXe siècle* Verlaine : *Poèmes saturniens* Dostoïevski : *Crime et Châtiment*	**1866** Tchaïkovski : *Première Symphonie* Grandville : *les Animaux peints par eux-mêmes* Manet : *le Fifre* Corot : *l'Église de Marissel*	**1866** Naples, Florence, Allemagne, Autriche... Dumas fonde un second *Mousquetaire*
	1867 Zola : *les Mystères de Marseille, Thérèse Raquin* Marx : *le Capital, livre I* Ibsen : *Peer Gynt*	**1867** Moussorgski : *Une nuit sur le mont Chauve* Wagner : *les Maîtres-chanteurs de Nüremberg* Cézanne : *l'Orgie* Renoir : *Diane chasseresse*	**1867** Exposition Universelle (Paris)
	1868 Daudet : *le Petit Chose* Dostoïevski : *l'Idiot*	**1868** Manet : *le Balcon, Portrait de Zola*	**1868** Libéralisation de la presse Dissolution de la section française de la 1re Internationale
	1869 Flaubert : *l'Éducation sentimentale* Lautréamont : *les Chants de Maldoror*	**1869** Wagner : création de *l'Or du Rhin* à Munich Monet : *la Grenouillère* Renoir : *la Grenouillère* Carpeaux : *la Danse*	**1869** Senatus-consulte sur les réformes libérales Inauguration du canal de Suez
1870 Mort à Dieppe	**1870** Berlioz : *Mémoires* Verlaine : *la Bonne Chanson* J. Verne : *Autour de la lune* Dostoïevski : *l'Eternel Mari*	**1870** Pissarro : *le Printemps aux toits rouges*	**1870** Guerre contre la Prusse Défaite de Sedan Proclamation de la République Siège de Paris

Bibliographie

Si vous ne lisez qu'un titre de Dumas, lisez les Trois Mousquetaires. *Si vous ne lisez que trois titres de Dumas, rajoutez le* Comte de Monte-Cristo *et la* Reine Margot. *Si vous ne lisez que cinq titres de Dumas, rajoutez* Vingt ans après *et* la Dame de Monsoreau. *Si vous ne lisez que dix titres de Dumas, rajoutez* Les Quarante-Cinq, Mes mémoires, Antony, Joseph Balsamo, le Vicomte de Bragelonne. *Et si vous avez lu ces dix titres, c'est que vous êtes définitivement accrochés : nous n'avons plus besoin de vous conseiller de lire le reste... Le reste, vous le trouverez dans cette liste retraçant dans leur chronologie, toutes les productions d'Alexandre Dumas.*

R = roman   H = roman historique   V = voyages
J = journaux   T = théâtre
N = nouvelle

1825
La Chasse et l'Amour (Ambigu-Comique) / T
1826
Nouvelles contemporaines / N
La Noce et L'Enterrement / T
1829
Henri III et sa cour / T
1830
Christine, ou Stockholm, Fontainebleau et Rome / T
1831
Napoléon-Bonaparte / T
Antony / T
Charles VII chez ses grands vassaux / T
Richard Darlington / T
1832
Teresa / T
Le Mari de la veuve / T
La Tour de Nesle / T
Le Fils de l'émigré, ou le Peuple / T
1833
Gaule et France / H
Angèle / T
Les Enfants de la Madone / R
Impressions de voyage : en Suisse / V
Une joute / R
La Vendée et Madame / H
1834
Catherine Howard / T
La Vénitienne / T
La Méditerranée et ses côtes / V
1835
Isabelle de Bavière / R
Souvenirs d'Antony / R
Cromwell et Charles Ier / T
1836
Don Juan de Marana, ou la chute d'un ange / T
Napoléon / H
Le Marquis de Brunoy / T
Kean / T

Guelfes et gibelins / H
1837
Piquillo / T
1838
Acte / R
Pauline. Pascal Bruno. Murat (La salle d'armes) / R
Capitaine Paul / R
Paul Jones / T
Quinze jours au Sinaï / V
La Main droite du sire de Giac / R
Caligula / T
Jacques Ortis / R
1839
Mademoiselle de Belle-Isle / T
Maître Adam le Calabrais / R
Vie et aventures de John Davys / R
La Comtesse de Salisbury / R
L'Alchimiste / T
Capitaine Pamphile / R
Les Crimes célèbres / R
Praxède / R
1840
Mémoires d'un maître d'armes / R
Othon l'Archer / R
Les Stuarts / H
1841
Un mariage sous Louis XV / T
Nouvelles impressions de voyage : le Midi de la France / V
Une année à Florence (suite du Midi de la France) / V
Excursions sur les bords du Rhin / V
La Chasse au chastre / R
Galerie de Florence / H
L'Armée française / H
Capitaine Arena / R
1842
Lorenzino / T
Chevalier d'Harmenthal / R

La Maison de glace / R
Les Baleiniers / R
L'Île de feu (Le médecin de Java) / R
Le Caucase / V
Jane / R
M. Coumbes (fils de Forçat) / R
Mémoires d'un policeman / R
Princesse Flora / R
Mariana / R
Contes pour les enfants / R
Le sifflet enchanté / R
1860
Le Père la Ruine / R
Jacquot sans oreilles / R
Une aventure d'amour / R
L'indépendante / J
Le Gentilhomme de la montagne / T
La Dame de Monsoreau / T
Le Roman d'Elvire / T
L'Envers d'une conspiration / T
La Marquise d'Escoman / R
Journal du jeudi / J
Mémoires de Garibaldi / N
L'Arabie heureuse / V
Le Père Gigogne / R
1861
Le Prisonnier de la Bastille / T
Les morts vont vite / R
Une nuit à Florence / R
Les Garibaldiens / N
Le Pape devant les Évangiles / N
Bric à brac / N
1862
Ivanhoé / R
Les Bourbons de Naples / H
1864
Les Deux Reines / R
Les Mohicans de Paris / T
La San Félice / R
Emma Lyonna / R

1865
Souvenirs d'une favorite / R
Un pays inconnu / R
Bouts rimés / N
Les Gardes forestiers / T
1866
Gabriel Lambert / T
1867
La Terreur prussienne / R
Les Hommes de fer / R
Parisiens et provinciaux / R
Les Blancs et les Bleus / R
1868
Souvenirs dramatiques / N
Le d'Artagnan / J
Madame de Chamblay / T
1869
Les Blancs et les Bleus / T
1870
Le Docteur mystérieux (la fille du marquis) / R
1872
Le Capitaine Rhino / R
Le Prince des voleurs / R
1873
Robin Hood le Proscrit / R
Grand dictionnaire de cuisine /
1877
Propos d'art et de cuisine /
1878
Joseph Balsamo / T
1882
Petit dictionnaire de cuisine /
1884
Voyage en Bourbonnais / V

NOUS N'AVONS PAS TOUT DIT...

Aussi, si vous voulez, quelque jour, compléter votre documentation, n'hésitez pas. Commencez par lire les *Mémoires* de Dumas. Après cela, vous pourriez vous retourner vers trois ouvrages :

• Henri Clouard, *Alexandre Dumas.* Albin Michel, 1955. Le premier travail scientifique sur Dumas.

• André Maurois, *les Trois Dumas.* Hachette, 1957. Le grand-père, le père et le fils. C'est bien écrit, par un spécialiste de la biographie littéraire. Un peu rapide et un peu trop «décent»...

• Claude Schopp, *Alexandre Dumas.* Mazarine, 1985. La biographie la plus complète, étayée de documents intéressants. Le présent ouvrage lui doit beaucoup. Mais attention : 558 pages pour la seule biographie...

SUR LES TRACES D'ALEXANDRE DUMAS

La maison natale de Dumas à Villers-Cotterêts existe toujours, rue Alexandre-Dumas, au numéro 46, mais on ne peut la visiter. En revanche, le souvenir d'Alexandre Dumas est conservé dans un musée de la ville, où l'on y pourra voir des portraits, des photos, des manuscrits et des objets ayant appartenu à l'écrivain.

Musée Alexandre-Dumas
24 rue Desmoutier
02600 Villers-Cotterêts
Tél. 23 96 23 30

Le château de Monte-Cristo, que Dumas avait fait construire en 1844 puis avait été obligé de vendre, quatre ans plus tard, n'était plus qu'une ruine il y a seulement trois ans. Grâce à l'association des Amis d'Alexandre Dumas, des fonds ont été réunis pour le restaurer ; le roi du Maroc a financé lui-même la remise en état du magnifique salon marocain, et aujourd'hui, le château est ouvert au public le dimanche, de 15 h à 17 h (les groupes peuvent disposer de visites dans la semaine, à la demande).
Château de Monte-Cristo
1 avenue du Président-Kennedy
78160 Le Port Marly
Tél. 39 58 42 02

Enfin, si ce livre vous a donné l'envie de tout savoir sur Alexandre Dumas, rejoignez vite le groupe de ses fans, l'Association des Amis d'Alexandre Dumas, 1 bis rue Chamflour, 78160 Marly-le-Roi, Tél. 39 58 48 98. Secrétaire générale : Madame Neave.

de Delpech.
193 Alexandre
Dumas à l'époque de
Monte-Cristo.

Abréviations

h : haut
b : bas

m : milieu
g : gauche
d : droite
A.A.A. Dumas, Marly-

le-Roi : pour
Association des Amis
d'Alexandre Dumas,
Marly-le-Roi

CRÉDITS PHOTOS

Agence Scala, Florence 121b. Association des Amis d'Alexandre Dumas, Couverture 15. Villers-Cotterêts 28d, 30h, 67, 68, 95, 128, 130, 136, 138. Association Paris Musées, Photothèque 12, 13, 24, 108, 109, 111, 104-105, 124-125. Bib. nat., Paris 58, 62, 63h, 63b, 88h, 93, 113, 118, 133, 135, 167, 168, 170, 172, 175. Yves Ballu, Paris 66. Bulloz, Paris 18-19, 20-21, 26, 27, 29, 30b, 33, 36, 39, 46, 47, 50-51, 69, 74, 84, 86-87, 104b, 110, 123, 132, 168b. Charmet, Paris 22, 28h, 31, 37h, 40-41, 71, 82, 83, 91, 96-97, 98, 107b, 115, 117h, 121d. Cinestar, Paris 147. Clichés Gallimard, Paris 23, 80-81, 96, 107h, 121h, 134, 137, 140g, 140-141, 141h, 142, 143, 146, 148, 152, 155, 156, 158, 160, 161, 164, 165, 190, 191. Coll. Monte-Cristo, Marly-le-Roi 32. Coll. Sirot Angel, Paris 11, 106, 126b, 126h. Dagli Orti, Paris 52-53. Droits réservés 87, 103, 107h, 112, 114h, 114b, 114m, 180, 182, 183, 184, 185, 194. Explorer Archives, Paris 117b. Giraudon, Paris 34, 35, 38, 56-57, 59, 65, 72-73, 82, 100-101, 101, 116, 188. Kunsthalle Bremen (RFA) 70. Mercure de France, Musée de la Comédie-Française, Paris 42-43, 44-45. Musée Alexandre-Dumas, Villers-Cotterêts 17, 88-89, 99, 127. Musée de La Comédie-Française, Paris 25. Roger-Viollet, Paris 14, 60, 61b, 76, 77, 78, 82h, 166, 177, i78, 180, 186, 193. Tallandier, Paris 64, 85, 92, 102-103, 144, 199.

REMERCIEMENTS

Nous remercions les personnes et les organismes suivants pour l'aide qu'ils nous ont apportée dans la réalisation de ce livre. M. François Delebecque, photographe, Mme Josette Doyelle, du musée Alexandre-Dumas à Villers-Cotterêts, Mme Neave, secrétaire générale de l'Association des Amis d'Alexandre Dumas, Marly-le-Roi, et la revue l'*Histoire*.

Table des matières